協力／アクアマリンふくしま

# 恐竜《きょうりゅう》への道《みち》のり

せきつい動物《どうぶつ》が初《はじ》めて陸《りく》へ進出《しんしゅつ》したのは、約《やく》3億《おく》8000万年前《まんねんまえ》。水中《すいちゅう》と陸上《りくじょう》を生活《せいかつ》の場《ば》とする両生類《りょうせいるい》から、やがて陸上《りくじょう》だけで生活《せいかつ》する体《からだ》の仕組《しく》みを備《そな》えたは虫類《ちゅうるい》が登場《とうじょう》する。今《いま》から2億《おく》3000万年前《まんねんまえ》までに、は虫類《ちゅうるい》のグループから恐竜《きょうりゅう》が現《あらわ》れた。

▲「生《い》きた化石《かせき》」シーラカンスには、胸《むな》びれや腹《はら》びれなどに軟骨《なんこつ》と筋肉《きんにく》でできた柄《え》がある。手足《てあし》の原形《げんけい》といわれる。

◀両生類的《りょうせいるいてき》な四肢動物《ししどうぶつ》キクロトサウルス。手足《てあし》や肺呼吸《はいこきゅう》を手《て》に入《い》れて四肢動物《ししどうぶつ》は陸上《りくじょう》に進出《しんしゅつ》した。

イラスト／福田裕

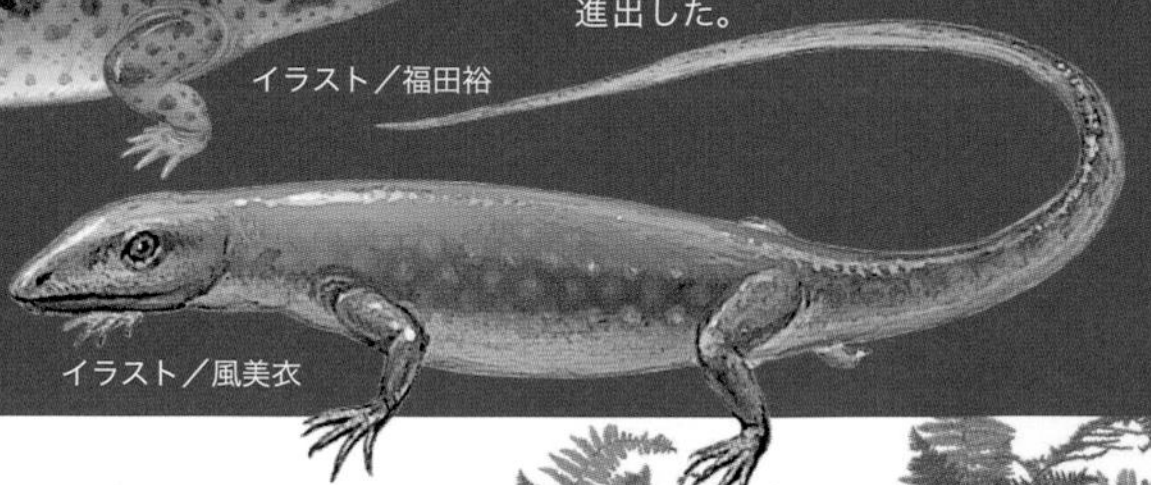

▶初期《しょき》のは虫類《ちゅうるい》ヒロノムス。約《やく》3億年前《おくねんまえ》に羊膜《ようまく》を持《も》ち、殻《から》のある卵《たまご》を産《う》む動物《どうぶつ》が進化《しんか》してきた。

イラスト／風美衣

▶三畳紀中期《さんじょうきちゅうき》にいた恐竜《きょうりゅう》に最《もっと》も近《ちか》いは虫類《ちゅうるい》ラゴスクス。2足歩行《そくほこう》をして、昆虫《こんちゅう》などを食《た》べたとされる。

イラスト／加藤愛一

画像提供：国立科学博物館

▲白亜紀後期《はくあきこうき》に現《あらわ》れたティラノサウルスの化石標本《かせきひょうほん》。全長約《ぜんちょうやく》13m、最強《さいきょう》の大型肉食恐竜《おおがたにくしょくきょうりゅう》として知《し》られる。

▶襲《おそ》いかかるティラノサウルスから身《み》を守《まも》るために、尾《お》の先《さき》のハンマーをふり回《まわ》して戦《たたか》うユーオプロケファルスの想像図《そうぞうず》。

イラスト／桝村太一

# 恐竜《きょうりゅう》たちの時代《じだい》

恐竜《きょうりゅう》は、三畳紀《さんじょうき》に栄《さか》えていたほかのは虫類《ちゅうるい》グループをおさえて、陸上《りくじょう》の生態系《せいたいけい》の頂点《ちょうてん》に立《た》ち、ジュラ紀《き》から白亜紀《はくあき》にかけて大《おお》いに繁栄《はんえい》した。体《からだ》の形《かたち》も生活《せいかつ》や環境《かんきょう》に応《おう》じてさまざまに進化《しんか》し、全長《ぜんちょう》30mを超《こ》えるほどの巨大《きょだい》な恐竜《きょうりゅう》も現《あらわ》れた。

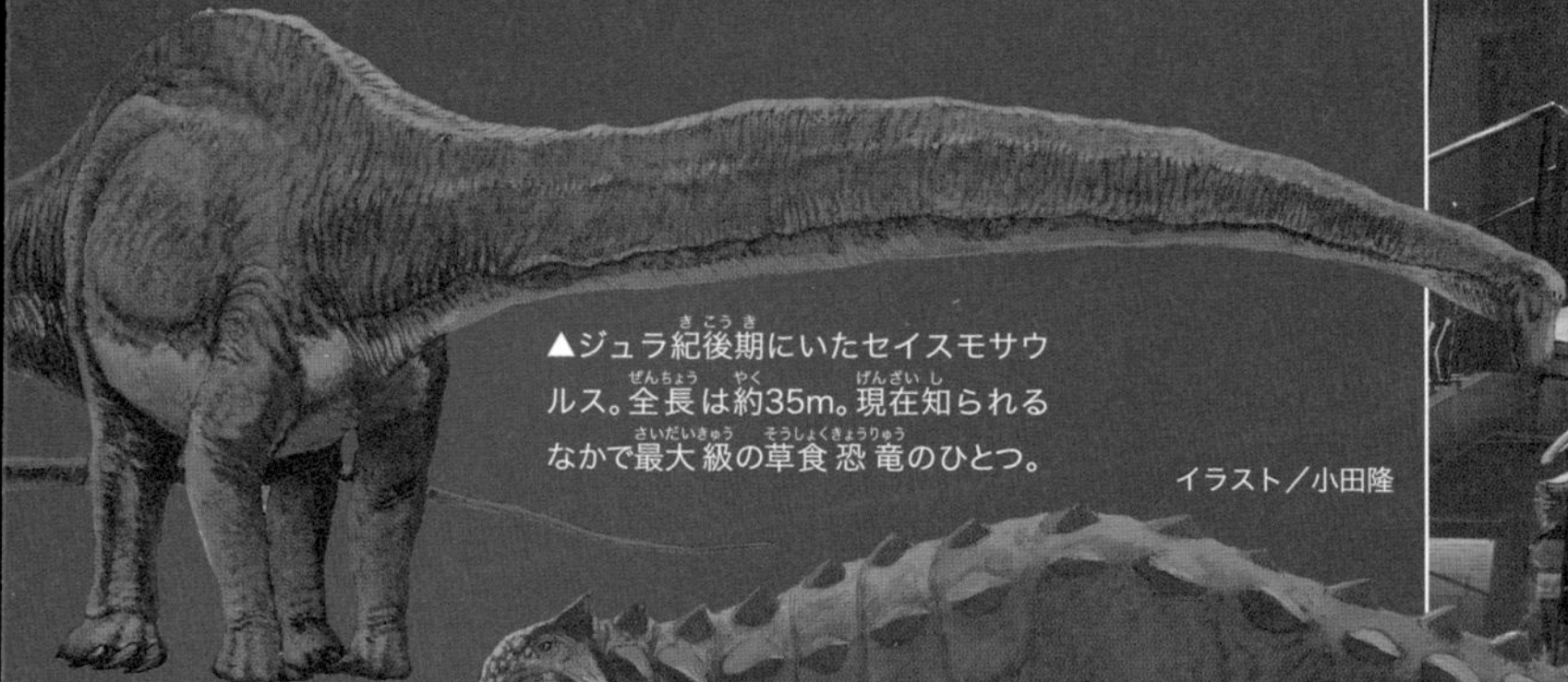

▲ジュラ紀後期《きこうき》にいたセイスモサウルス。全長《ぜんちょう》は約《やく》35m。現在知《げんざいし》られるなかで最大級《さいだいきゅう》の草食恐竜《そうしょくきょうりゅう》のひとつ。

イラスト／小田隆

イラスト／小田隆

▶背中《せなか》にかたい骨《ほね》のよろいを持《も》つ草食恐竜《そうしょくきょうりゅう》アンキロサウルス。全長《ぜんちょう》は約《やく》8m。頭《あたま》の骨《ほね》も非常《ひじょう》にかたく、尾《お》の先《さき》には骨《ほね》のハンマーがあった。

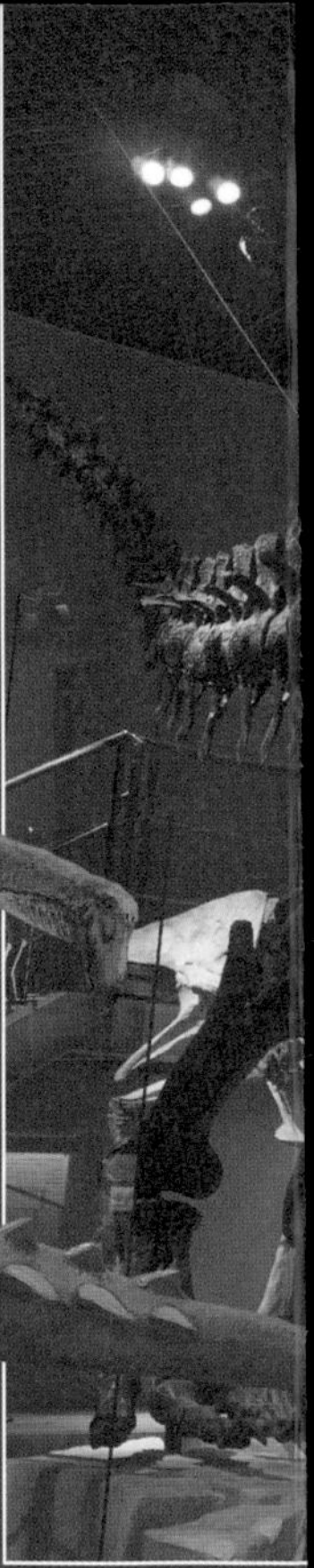

◀白亜紀後期《はくあきこうき》に現《あらわ》れた草《そう》食恐竜《しょくきょうりゅう》トリケラトプスの化石標本《かせきひょうほん》。全長約《ぜんちょうやく》9m。3本《ぼん》の角《つの》で肉食恐竜《にくしょくきょうりゅう》に立《た》ち向《む》かった。

画像提供：国立科学博物館

# 恐竜《きょうりゅう》は絶滅《ぜつめつ》していない!?

1996年以降《ねんいこう》、中国《ちゅうごく》で羽毛《うもう》を持《も》つ恐竜《きょうりゅう》がつぎつぎに発見《はっけん》され、恐竜《きょうりゅう》から鳥類《ちょうるい》への進化《しんか》の道筋《みちすじ》がはっきりと見《み》えてきた。今《いま》や鳥類《ちょうるい》が恐竜《きょうりゅう》の子孫《しそん》であることは間違《まちが》いないとされる。白亜紀末《はくあきまつ》に恐竜《きょうりゅう》は絶滅《ぜつめつ》したが、そのDNAは鳥類《ちょうるい》に受《う》け継《つ》がれ、現在《げんざい》も生《い》き続《つづ》けている。

画像提供：国立科学博物館

▲最古《さいこ》の鳥類《ちょうるい》として知《し》られる始祖鳥《しそちょう》（アーケオプテリクス）の骨格《こっかく》は、現在《げんざい》の鳥類《ちょうるい》にも、小型《こがた》の肉食恐竜《にくしょくきょうりゅう》にも似《に》ている。全長約《ぜんちょうやく》1m。

▼獲物《えもの》を狙《ねら》う目《め》つき、鋭《するど》いかぎづめなど、鳥類《ちょうるい》のなかでもワシやタカなどの猛《もう》きん類《るい》には肉食《にくしょく》恐竜《きょうりゅう》のおもかげが残《のこ》る。

イラスト／水谷高英

◀全身《ぜんしん》が羽毛《うもう》におおわれ、前後《ぜんご》の足《あし》につばさを持《も》つミクロラプトル。樹上《じゅじょう》で暮《く》らし、枝《えだ》から枝《えだ》へ滑空《かっくう》したと考《かんが》えられている。全長約《ぜんちょうやく》80㎝。

イラスト／山本匠

# ドラえもん科《か》学《がく》ワールド

DORAEMON KAGAKU WORLD

# 恐《きょう》竜《りゅう》と失《うしな》われた動《どう》物《ぶつ》たち

ドラえもん科《か》学《がく》ワールド

# ー恐《きょう》竜《りゅう》と失《うしな》われた動《どう》物《ぶつ》たちー

もくじ

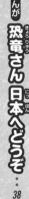

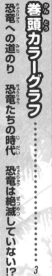

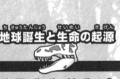

## 恐竜時代《きょうりゅうじだい》の陸《りく》・海《かい》・空《くう》



## 化石《かせき》から解明《かいめい》される恐竜《きょうりゅう》の謎《なぞ》



## 地球《ちきゅう》で起《お》きた5回《かい》の大量絶滅《たいりょうぜつめつ》



## 絶滅動物《ぜつめつどうぶつ》と人間生活《にんげんせいかつ》

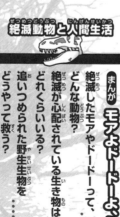

# この本《ほん》について

この本《ほん》は、ドラえもんのまんがを楽《たの》しみながら、最新《さいしん》の科学《かがく》知識《ちしき》を学《まな》ぼうとするよくばりな本《ほん》です。

まんがで扱《あつか》われている科学《かがく》のテーマを、そのあとに掘《ほ》り下《さ》げて解説《かいせつ》しています。かなり難《むずか》しい内容《ないよう》も含《ふく》まれているかもしれませんが、かつて地球《ちきゅう》にすんでいた恐竜《きょうりゅう》や動物《どうぶつ》たちの生態《せいたい》で、今《いま》わかっていること、なぞのままであることを、読《よ》んで理解《りかい》できるように書《か》いてあります。

絶滅《ぜつめつ》してしまった動物《どうぶつ》は、ただいなくなっただけではありません。恐竜《きょうりゅう》が鳥《とり》の祖先《そせん》につながっていったように、私《わたし》たち人間《にんげん》の祖先《そせん》となった動物《どうぶつ》たちも、進化《しんか》の過程《かてい》で新《あたら》しい世代《せだい》にバトンタッチして滅《ほろ》んでいったのです。私《わたし》たちがどのようにして地球《ちきゅう》に誕生《たんじょう》したのか、誕生《たんじょう》・繁栄《はんえい》・絶滅《ぜつめつ》を繰《く》り返《かえ》す、雄大《ゆうだい》なスケールの動物《どうぶつ》の歴史《れきし》を知《し》るのが本書《ほんしょ》の目的《もくてき》です。

## 本書《ほんしょ》のイラストに関《かん》して

精密《せいみつ》な動物《どうぶつ》たちのイラストは、小学館発行《しょうがくかんはっこう》の図鑑《ずかん》に使用《しよう》しているものを掲載《けいさい》しました。

### 小学館《しょうがくかん》の図鑑《ずかん》NEO

#### 地球《ちきゅう》

地球《ちきゅう》46億年《おくねん》の歴史《れきし》をふり返《かえ》りながら、生命《せいめい》を育《はぐく》んだ地球《ちきゅう》のひみつを解説《かいせつ》。また、身近《みぢか》な天《てん》気《き》・気象《きしょう》から、台風《たいふう》や地震《じしん》、火山《かざん》の噴火《ふんか》など、地《ち》球《きゅう》が引《ひ》き起《お》こす現象《げんしょう》の仕組《しく》みを紹介《しょうかい》する。

ISBN978-4-09-217210-4

#### 恐竜《きょうりゅう》

新発見《しんはっけん》の恐竜《きょうりゅう》を含《ふく》む、新《あたら》しい発見《はっけん》・学説《がくせつ》にもとづき、最新《さいしん》の情報《じょうほう》で構成《こうせい》。鳥《とり》と恐竜《きょうりゅう》の関係《かんけい》や、首《くび》を高《たか》く持《も》ち上《あ》げることのできなかった竜脚類《りゅうきゃくるい》など今《いま》までの図鑑《ずかん》になかったイラストが満載《まんさい》！

ISBN4-09-217211-7

## 21世紀《せいき》こども百科《ひゃっか》

### 恐竜館《きょうりゅうかん》

なぞに満《み》ちた恐竜《きょうりゅう》たちの暮《く》らしや生態《せいたい》、進化《しんか》のようすなどを大迫力《だいはくりょく》のイラストや貴重《きちょう》な写真《しゃしん》で紹介《しょうかい》。かつて本当《ほんとう》に生《い》きていた時代《じだい》の、真《しん》の恐竜《きょうりゅう》の姿《すがた》に鋭《するど》く迫《せま》る。88問《もん》のクイズつき。

ISBN978-4-09-221251-0

## 小学館《しょうがくかん》の図鑑《ずかん》NEO POCKET

### 恐竜《きょうりゅう》

大人気《だいにんき》の「小学館《しょうがくかん》の図鑑《ずかん》ＮＥＯ」シリーズから生《う》まれたポケット図鑑《ずかん》。人気《にんき》の恐竜《きょうりゅう》を中心《ちゅうしん》に翼竜《よくりゅう》、魚竜《ぎょりゅう》など古代《こだい》に生《い》きた生物約《せいぶつやく》300種《しゅ》を、三畳紀《さんじょうき》〜白亜紀《はくあき》までの年代順《ねんだいじゅん》に掲載《けいさい》。

ISBN978-4-09-217284-5

## 小学館《しょうがくかん》の図鑑《ずかん》NEO

### 鳥《とり》

「日本《にほん》で見《み》られる鳥《とり》」は、国内《こくない》でよく見《み》かける鳥《とり》を中心《ちゅうしん》に、渡《わた》り鳥《どり》・旅鳥《りょちょう》、一部《いちぶ》の迷鳥《まよいどり》を分類順《ぶんるいじゅん》に紹介《しょうかい》。「世界《せかい》の鳥《とり》」は、地域《ちいき》と環境《かんきょう》で分《わ》け、そこにすむ鳥《とり》たちをまとめて紹介《しょうかい》する。

ISBN4-09-217205-2

### 大《おお》むかしの生物《せいぶつ》

化石《かせき》を通《とお》してしか知《し》ることのできない太古《たいこ》の生《せい》物約《ぶつやく》450種《しゅ》を、最新《さいしん》の研究《けんきゅう》にもとづいて描《えが》かれた細密画《さいみつが》や、時代《じだい》ごとの風景《ふうけい》を描《えが》いたパノラマイラストを中心《ちゅうしん》にして紹介《しょうかい》する。

ISBN4-09-217212-5

恐竜《きょうりゅう》と失《うしな》われた動物《どうぶつ》たちQ&A《キューアンドエー》

Q 恐竜《きょうりゅう》のなかには海中《かいちゅう》で一生《いっしょう》をすごすものもいた。本当《ほんとう》？ ウソ？

**A** ウソ 恐竜《きょうりゅう》は陸上《りくじょう》を中心《ちゅうしん》に活動《かつどう》していた。海《うみ》で生活《せいかつ》した魚竜《ぎょりゅう》や首長竜《くびながりゅう》は、恐竜《きょうりゅう》時代《じだい》にいた同《おな》じは虫類《ちゅうるい》の仲間《なかま》だが恐竜《きょうりゅう》ではない。

Q 鳥類《ちょうるい》の祖先《そせん》とされる獣脚類《じゅうきゃくるい》の恐竜《きょうりゅう》はどちらの仲間《なかま》?

①鳥盤類《ちょうばんるい》

②竜盤類《りゅうばんるい》

セワシくんと恐竜《きょうりゅう》がりに行《い》ってきたんだ。

恐竜《きょうりゅう》がり!?

未来《みらい》の世界《せかい》ではやっているんだ。

おもしろいスポーツだよ。

じゃ、さっきのも?

「タイムマシン」で一億年前《おくねんまえ》から連《つ》れて帰《かえ》るとちゅう、このへやでひと休《やす》みしたんだ。連《つ》れて帰《かえ》った恐竜《きょうりゅう》は、ペットにするんだよ。

おもしろそうだなあ。

ぼくもやろうっと。

とんでもない。

だれにもできるってわけじゃないよ。

すごくあぶないスポーツだぞ。

強《つよ》いからだと、なにものもおそれない勇気《ゆうき》が必要《ひつよう》だ。

ぼくならそのてん……、

A ②竜盤類《りゅうばんるい》　鳥盤類《ちょうばんるい》の骨盤《こつばん》は鳥類《ちょうるい》と似《に》ていたが、鳥類《ちょうるい》は竜盤類《りゅうばんるい》から進化《しんか》したとされる。骨盤《こつばん》の形《かたち》が鳥《とり》になるにつれ変化《へんか》したらしい。

ギャア
こわいこわい。
チョロ チョロ
ネズミじゃないか。
なにものもおそれない勇気《ゆうき》か。
ネズミだけは…。
今《いま》のすごい声《こえ》、なあに?
ドラえもんがね、
シーッ。
連《つ》れてってやるから。
準備《じゅんび》がいるんだ。
バターとジャムを。
べんとうだね。
バターとジャムだけでいいよ。
そんなものでおなかがふくれるかい。
ポケットにいくらでも入《はい》るだろ。

でっかいのつかまえてこようぜ。
そんなかんたんなものじゃないよ。
ヒュルルル
すごいいきおいだね。
ヒュルルルル
ちゅうとはんぱなところに、出口《でぐち》が開《ひら》いちゃった。



Q 恐竜《きょうりゅう》は体温《たいおん》を一定《いってい》に保《たも》つ恒温動物《こうおんどうぶつ》だった可能性《かのうせい》が高《たか》い。本当《ほんとう》？　ウソ？

時間《じかん》をさかのぼるだけじゃだめだ。
恐竜《きょうりう》のうんといるとこへおりなくちゃ。
このへんがいいだろ。
キキーッ
コテ
わあい、一億年前《おくねんまえ》の世界《せかい》だ。

A 本当《ほんとう》羽毛《うもう》の出現《しゅつげん》は恐竜《きょうりゅう》が恒温動物化《こうおんどうぶつか》していたことを示《しめ》すと考《かんが》えられ、恐竜《きょうりゅう》の段階《だんかい》でかなり恒温動物化《こうおんどうぶつか》していた可能性《かのうせい》が高《たか》い。

ところで、どうやってつかまえるの？
これだ。
「細胞《さいぼう》縮小《しゅくしょう》き」
まちがえた。
よけいなものをもってくるからだ。
これだ！
ビカッ
こ、こんなに小《ちい》さくなった。
ぼくにもうたせて。
むずかしいんだぜ。

**Q** 恐竜《きょうりゅう》の歯《は》は、人間《にんげん》と同《おな》じように1度《ど》しか生《は》えかわらない。本当《ほんとう》？　ウソ？

**A** ウソ　肉食恐竜《にくしょくきょうりゅう》も草食恐竜《そうしょくきょうりゅう》も、歯《は》がすりへったり折《お》れたりしても、何度《なんど》でもすぐに新《あたら》しい歯《は》が生《は》えてきた。

**Q** ティラノサウルスの歯《は》は、根元《ねもと》までふくめるとその長《なが》さは?

① 10㎝

② 15㎝

③ 30㎝

**A**

③30㎝

見《み》えている部分《ぶぶん》は10㎝ほどだが、3分《ぶん》の2があごの骨《ほね》にうまっており、この歯《は》で獲物《えもの》に食《く》らいついた。

ばかっ、にげちゃだめだい。うたなくちゃ。
ドドドッ
ドドドッ
ビカッ
ピーッ
これでもか！
ビカビカ
これでもか、これでもか。
やめろっ、もういいよ。
ビカッビカッ

アリみたいになっちゃった。
これじゃもとへもどせないよ。
やはり、ぼくがうつよ。
バターとジャムを……。
おべんとうにするの?
ベチョ
ペタペタ
えさになって、さそいだしてくるんだよ。
エーッ
なるべくうまそうに歩《ある》くのがコツだよ。
ど、ど、どうか、恐竜《きょうりゅう》がでませんように。

**恐竜《きょうりゅう》と失《うしな》われた動物《どうぶつ》たちQ&A《キューアンドエー》**

**Q** 巨大恐竜《きょだいきょうりゅう》として知《し》られる竜脚類《りゅうきゃくるい》の卵《たまご》の直径《ちょっけい》は?

①約《やく》40㎝

②約《やく》80㎝

③1m以上《いじょう》

A

①約《やく》40㎝ これまでに発見《はっけん》されている恐竜《きょうりゅう》の卵《たまご》の化石《かせき》は、最大《さいだい》でも直径《ちょっけい》40㎝ほど。意外《いがい》に小《ちい》さかったようだ。

クン
クン
ドガア
きましたよう。
ドドッ
ドドドッ
ドドッ
ぼくはなれてるから、あわてないのだ。

Q 恐竜《きょうりゅう》のなかには、鳥《とり》のように卵《たまご》を温《あたた》めたものもいた。本当《ほんとう》？ウソ？

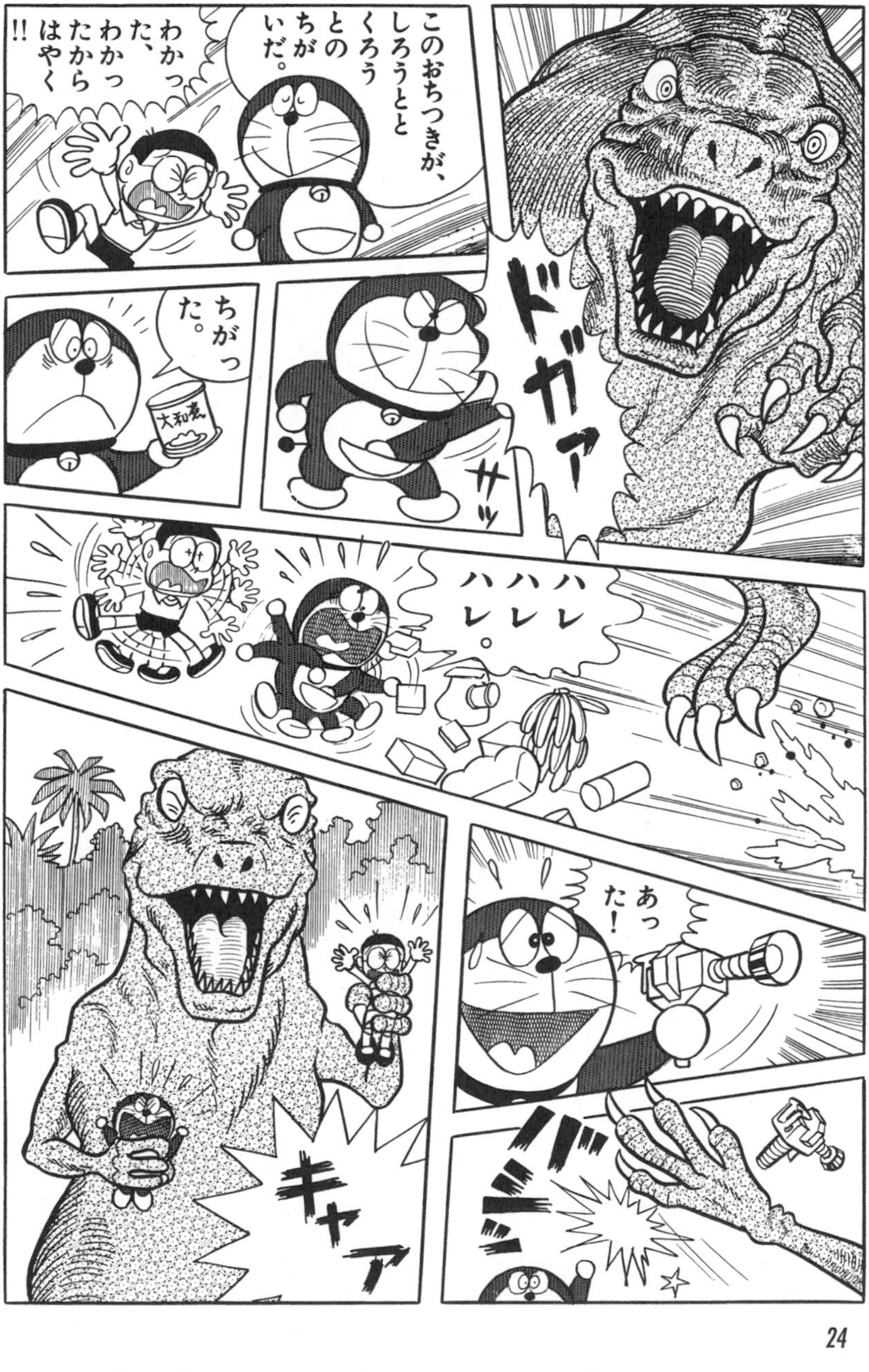

どっちから食《た》べようかと、まよってる。
おさきにどうぞ。
どういたしまして、そっちがおさきに。
アキーッ
ゴリ
ペッ
わあ、いやだ!

A 本当《ほんとう》 体《からだ》でおおうようにして巣《す》のなかの卵《たまご》を守《まも》るオビラプトル類《るい》シチパチの化石《かせき》が見《み》つかっている。

**Q** 長《なが》い尾《お》を持《も》つ恐竜《きょうりゅう》は、その尾《お》を地面《じめん》にひきずっていた。本当《ほんとう》？ ウソ？

そうだ。
メガネで……、
光《ひかり》を集《あつ》めて。
チリ
チリ
ハチャチャッチャ
あっ、これは！
ピカ
恐竜《きょうりゅう》は、そっちだよ。
メガネがないと見《み》えないんだ。

**A** ウソ　どの恐竜《きょうりゅう》も背中《せなか》をほぼ水平《すいへい》に保《たも》ち、上体《じょうたい》と尾《お》を前後《ぜんご》にはり出《だ》すような態勢《たいせい》でバランスを取《と》っていたと考《かんが》えられている。

噴火《ふんか》だ！あぶないにげよう。
ゴゴゴゴ
メガネをなくして、しかられちゃったよ。
だから、よそうといったんだ。
フーム……フーム。
世《よ》の中《なか》には、ふしぎなこともあるもんだね。
新聞《しんぶん》をよんでごらん。
ぼくのメガネだ！
投売新聞
ナゾの恐竜の化石
メガネをかけている

# 恐竜《きょうりゅう》とはどのような生《い》き物《もの》なのか？

## 陸上《りくじょう》で栄《さか》えたは虫類《ちゅうるい》の仲間《なかま》から生《う》まれた恐竜《きょうりゅう》

恐竜《きょうりゅう》が地球上《ちきゅうじょう》にはじめて現《あらわ》れたのは、今《いま》からおよそ２億《おく》３０００万年前《まんねんまえ》と考《かんが》えられている。地球《ちきゅう》の歴史《れきし》（地質《ちしつ》学的《がくてき》時代《じだい》区分《くぶん》）では、中生代《ちゅうせいだい》（２億《おく》５１００万年前《まんねんまえ》～６５５０万年前《まんねんまえ》）の三畳紀《さんじょうき》（２億《おく》５１００万年前《まんねんまえ》～２億年前《おくねんまえ》）後期《こうき》にあたる。三畳紀《さんじょうき》は、水中《すいちゅう》の魚竜《ぎょりゅう》や首長竜《くびながりゅう》、陸上《りくじょう》のトカゲ類《るい》の祖先《そせん》やカメ、ワニ類《るい》の祖先《そせん》など、は虫類《ちゅうるい》の仲間《なかま》が多《おお》くが出現《しゅつげん》した時代《じだい》だ。こうしたは虫類《ちゅうるい》のなかから誕生《たんじょう》したのが恐竜《きょうりゅう》だった。恐竜《きょうりゅう》と聞《き》くと、ティラノサウルスやスーパーサウルスのような巨大《きょだい》な生《い》き物《もの》を想像《そうぞう》しがちだが、初期《しょき》の恐竜《きょうりゅう》は、エオラプトルのように全長《ぜんちょう》１ｍほどのものが多《おお》く、大《おお》きなものでも５ｍほどと、比較的《ひかくてき》小型《こがた》であったといわれている。

新《あら》たに登場《とうじょう》した恐竜《きょうりゅう》たちの大《おお》きな特徴《とくちょう》は、２本《ほん》の後《うし》ろ足《あし》で立《た》ち上《あ》がる「２足歩行《そくほこう》」と「直立姿勢《ちょくりつしせい》」だ。直立《ちょくりつ》といっても、人間《にんげん》のように体全体《からだぜんたい》がまっすぐ立《た》ち上《あ》がっていたわけでない。直立《ちょくりつ》とは、体《からだ》を支《ささ》える骨盤《こつばん》（腰骨《ようこつ》）からほぼ真下《ました》に足《あし》がのびていることを意味《いみ》している。上体《じょうたい》は骨盤《こつばん》を中心《ちゅうしん》に、足《あし》に対《たい》して横向《よこむ》きにつき、長《なが》い尾《お》でバランスをとっていたのだ。足《あし》が真横《まよこ》や斜《なな》め横《よこ》につき出《だ》すようについているトカゲやワニ（這《は》い歩《ある》き型《がた》）は、移動《いどう》するときに体《からだ》をくねらせながら進《すす》まなければならないが、直立型《ちょくりつがた》の恐竜《きょうりゅう》は体《からだ》をくねらせることなく、足《あし》をまっすぐ前《まえ》に運《はこ》ぶことができる。そのため、活発《かっぱつ》に走《はし》り回《まわ》

▼最《もっと》も原始的《げんしてき》な恐竜《きょうりゅう》のひとつとして知《し》られるエオラプトル。動《うご》きが素早《すばや》かった。

イラスト／藤井康文

## 【トカゲ、ワニ（はい歩《ある》き型《がた》）と恐竜《きょうりゅう》の足《あし》のつき方《かた》の違《ちが》い】

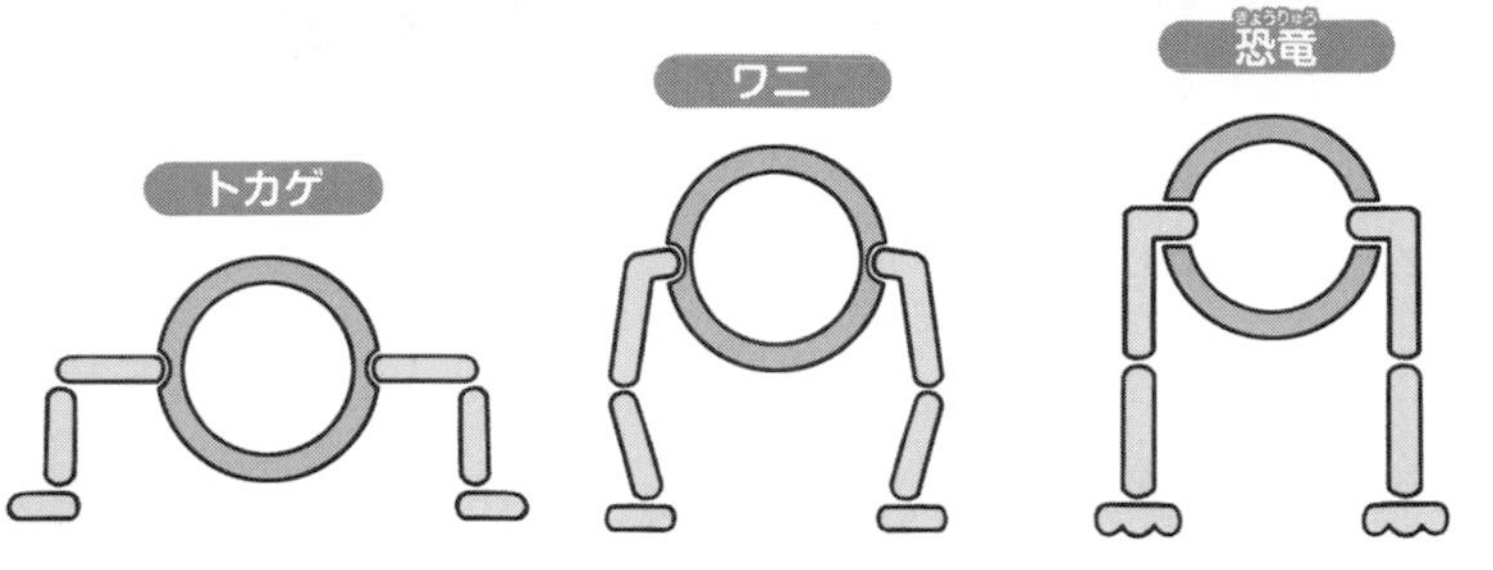


トカゲは足《あし》が骨盤《こつばん》の真横《まよこ》につき出《だ》すようにつき、体《からだ》をくねらせて進《すす》む。

ワニはトカゲより下向《したむ》きに足《あし》がついているので、やや活動的《かつどうてき》に進《すす》める。

恐竜《きょうりゅう》は骨盤《こつばん》からほぼ真《ま》下《した》に足《あし》がついていて、体《からだ》をくねらせずに進《すす》める。

▲恐竜《きょうりゅう》は、骨盤《こつばん》に開《あ》いた穴《あな》に足《あし》の骨《ほね》の根元《ねもと》がはまり込《こ》み、足《あし》はほぼ真下《ました》にのびているため、体《からだ》の正面《しょうめん》に足《あし》をまっすぐのばし、安定《あんてい》した姿勢《しせい》で活動的《かつどうてき》に進《すす》むことができる。トカゲやワニは、歩《ある》くときに体《からだ》をくねらせて、曲線《きょくせん》を描《えが》くように足《あし》を前方《ぜんぽう》に出《だ》さなければならない。

って、獲物《えもの》を追《お》うことができたと考《かんが》えられている。また安定《あんてい》した直立型《ちょくりつがた》の足《あし》は、後《のち》に恐竜《きょうりゅう》が巨大化《きょだいか》していくためにも好都合《こうつごう》だった。

最初《さいしょ》に現《あらわ》れた恐竜《きょうりゅう》は肉食《にくしょく》だったといわれるが、すぐに植物《しょくぶつ》を食《た》べるものも登場《とうじょう》し、その姿《すがた》や暮《く》らしぶりはさまざまに変化《へんか》していった。そして、ジュラ紀《き》（２億年前《おくねんまえ》〜１億《おく》４６００万年前《まんねんまえ》）に入《はい》ると、それまで恐竜《きょうりゅう》の強力《きょうりょく》なライバルだったワニ類《るい》は勢《いきお》いを失《うしな》い、恐竜《きょうりゅう》たちが生態系《せいたいけい》の頂点《ちょうてん》に立《た》ち、続《つづ》く白亜紀《はくあき》（１億《おく》４６００万年前《まんねんまえ》〜６５５０万年前《まんねんまえ》）末《まつ》まで地上《ちじょう》を支配《しはい》した。

特別《とくべつ》コラム

### 今《いま》も生《い》きる恐竜《きょうりゅう》の親戚《しんせき》

“は虫類《ちゅうるい》の時代《じだい》”といわれる中生代《ちゅうせいだい》には、恐竜《きょうりゅう》だけでなく、さまざまなは虫類《ちゅうるい》が登場《とうじょう》し、地上《ちじょう》や海《うみ》・空《そら》に広《ひろ》がり大活躍《だいかつやく》した。現在《げんざい》も生《い》き残《のこ》るトカゲ類《るい》やヘビ類《るい》、カメ類《るい》、ワニ類《るい》の祖先《そせん》たちも中生代《ちゅうせいだい》に現《あらわ》れている。

こうしたは虫類《ちゅうるい》のなかで、最《もっと》も恐竜《きょうりゅう》に近《ちか》いといわれているのがワニ類《るい》だ。現在《げんざい》は熱帯《ねったい》・亜熱帯《あねったい》の淡水域《たんすいいき》の水辺《みずべ》に20種類《しゅるい》ほどがいるのみだが、中生代《ちゅうせいだい》には海《うみ》に暮《く》らすものや水辺《みずべ》から離《はな》れて陸上《りくじょう》で暮《く》らすものなど、さまざまな種類《しゅるい》がいた。なかには10m級《きゅう》の巨大《きょだい》なワニもいた。三畳紀《さんじょうき》には恐竜《きょうりゅう》よりも繁栄《はんえい》していたといわれる。

# 恐竜《きょうりゅう》にはいろいろな種《しゅ》類《るい》がいる

## およそ1億《おく》6000万年《まんねん》にわたって 地球上《ちきゅうじょう》を支配《しはい》した恐竜《きょうりゅう》

霊長類《れいちょうるい》の起源《きげん》は白亜紀後期《はくあきこうき》までさかのぼる可能性《かのうせい》が高《たか》いとされるが、私《わたし》たちホモ・サピエンスの祖先《そせん》と呼《よ》べる人類《じんるい》が出現《しゅつげん》したと考《かんが》えられているのは、わずか700万《まん》年《ねん》ほど前《まえ》。ホモ・サピエンスの誕生《たんじょう》は、古《ふる》く見積《みつ》もっても15万年《まんねん》ほど前《まえ》にすぎない。人類《じんるい》の歴史《れきし》と比《くら》べると、恐《きょう》竜《りゅう》が栄《さか》えたおよそ1億《おく》6000万年《まんねん》がどれほど長《なが》いかがわかる。この間《あいだ》、地球《ちきゅう》の環境《かんきょう》はさまざまに変化《へんか》し、恐竜《きょうりゅう》たちも多種類《たしゅるい》に分《わ》かれて、世界中《せかいじゅう》に広《ひろ》がった。

原始的《げんしてき》な主竜形類《しゅりゅうけいるい》から進化《しんか》した恐竜《きょうりゅう》は、彼《かれ》らが地上《ちじょう》を支配《しはい》する三畳紀後期《さんじょうきこうき》には、すでにふたつの大《おお》きなグループに分《わ》かれていたことが知《し》られている。骨盤《こつばん》の作《つく》りが鳥《ちょう》類《るい》に似《に》ている「鳥盤類《ちょうばんるい》」と、トカゲ類《るい》やワニ類《るい》に似《に》ている「竜盤類《りゅうばんるい》」だ。骨盤《こつばん》は四足動物《しそくどうぶつ》のあしの土台《どだい》となる腰部分《こしぶぶん》の骨格《こっかく》で、腸骨《ちょうこつ》・恥骨《ちこつ》・坐骨《ざこつ》という3種類《しゅるい》の骨《ほね》で構成《こうせい》されている。鳥盤類《ちょうばんるい》は、恥骨《ちこつ》が坐骨《ざこつ》と並《なら》ぶように後方《こうほう》にの

**【同《おな》じ竜脚形類《りゅうきゃくけいるい》でもこんなに違《ちが》う】**

**パラリティタン（上《うえ》 竜脚類《りゅうきゃくるい》 全長約《ぜんちょうやく》27m）と**
**アンキサウルス（下《した》 古竜脚類《こりゅうきゃくるい》 全長約《ぜんちょうやく》2m）**

▼初期《しょき》の竜脚形類《りゅうきゃくけいるい》アンキサウルスは、前足《まえあし》が長《なが》く主《おも》に4足歩行《そくほこう》だった。大型化《おおがたか》した竜《りゅう》脚類《きゃくるい》は完全《かんぜん》な4足歩行《そくほこう》だ。

イラスト／藤井康文

**【恐竜《きょうりゅう》の系統樹《けいとうじゅ》（仲間分《なかまわ》け）】**

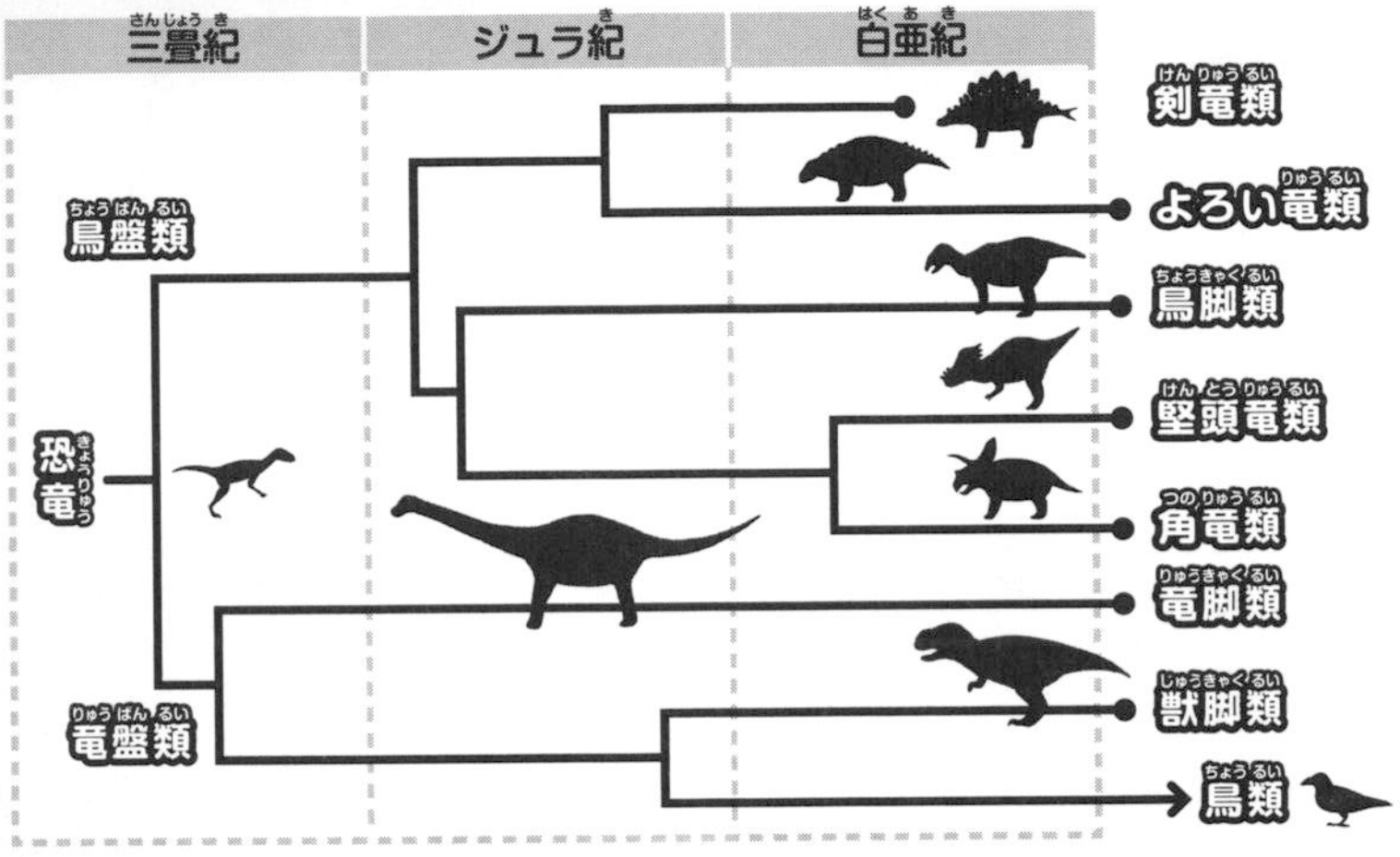
三畳紀《さんじょうき》
ジュラ紀《き》
白亜紀《はくあき》
鳥盤類《ちょうばんるい》
恐竜《きょうりゅう》
竜盤類《りゅうばんるい》
剣竜類《けんりゅうるい》
よろい竜類《りゅうるい》
鳥脚類《ちょうきゃくるい》
堅頭竜類《けんとうりゅうるい》
角竜類《つのりゅうるい》
竜脚類《りゅうきゃくるい》
獣脚類《じゅうきゃくるい》
鳥類《ちょうるい》

▲地上《ちじょう》に現《あらわ》れてから絶滅《ぜつめつ》までの間《あいだ》に、恐竜《きょうりゅう》はさまざまな種類《しゅるい》に分《わ》かれながら繁栄《はんえい》した。

びている。鳥盤類《ちょうばんるい》はどれも植物食《しょくぶつしょく》で、これを消化《しょうか》する長《なが》い腸《ちょう》を腹部《ふくぶ》におさめるには都合《つごう》のよい作《つく》りだ。一方《いっぽう》の竜《りゅう》盤類《ばんるい》は、先《さき》が広《ひろ》がったハンマーのような形《かたち》の恥骨《ちこつ》がやや前方《ぜんぽう》か下向《したむ》きにのびている。これは祖先《そせん》のは・虫類《ちゅうるい》の特徴《とくちょう》を引《ひ》き継《つ》いだ形《かたち》で、しゃがみこんだ姿勢《しせい》のときに、体重《たいじゅう》を支《ささ》えるのに役立《やくだ》ったという説《せつ》もある。

## 環境《かんきょう》や生活《せいかつ》の違《ちが》いで多《おお》くの種類《しゅるい》に分《わ》かれた恐竜《きょうりゅう》たち

三畳紀《さんじょうき》にいち早《はや》く勢力《せいりょく》を拡大《かくだい》させたのは竜盤類《りゅうばんるい》だ。竜《りゅう》盤類《ばんるい》は肉食恐竜《にくしょくきょうりゅう》の「獣脚類《じゅうきゃくるい》」と草食《そうしょく》の「竜脚形類《りゅうきゃくけいるい》」（さらに古竜脚類《こりゅうきゃくるい》・竜脚類《りゅうきゃくるい》に分《わ》かれる）に分類《ぶんるい》される。獣脚類《じゅうきゃくるい》では、最強《さいきょう》のハンター・ティラノサウルスが有名《ゆうめい》だが、初《はじ》めて体《からだ》に羽毛《うもう》を持《も》ったのもこの仲間《なかま》。4足歩行《そくほこう》で長《なが》い首《くび》を持《も》つ竜脚類《りゅうきゃくるい》は、史上最大級《しじょうさいだいきゅう》の陸上動物《りくじょうどうぶつ》へと進化《しんか》していった。一方《いっぽう》の鳥盤類《ちょうばんるい》は、ジュラ紀《き》・白亜紀《はくあき》に多《おお》くの種類《しゅるい》に分《わ》かれた。なかでも植物《しょくぶつ》を効率《こうりつ》よくかみ砕《くだ》ける歯《は》を持《も》つ「鳥脚類《ちょうきゃくるい》」は、植物食恐竜《しょくぶつしょくきょうりゅう》のなかでとても栄《さか》えたグループ。ほかに肉食恐竜《にくしょくきょうりゅう》から身《み》を守《まも》るためにじょうぶなうろこや板状《いたじょう》の骨《ほね》、角《つの》やトゲで武装《ぶそう》した「装盾類《そうじゅんるい》」の「剣竜類《けんりゅうるい》」や「よろい竜類《りゅうるい》」、「角竜類《つのりゅうるい》」や「堅頭竜類《けんとうりゅうるい》」も登場《とうじょう》した。

# 草食恐竜《そうしょくきょうりゅう》たちはどのように進《しん》化《か》した？

## 身《み》を守《まも》るためのさまざまな工夫《くふう》で生《い》きのびた草食恐竜《そうしょくきょうりゅう》

草食恐竜《そうしょくきょうりゅう》では、大《おお》きな体《からだ》と長《なが》い首《くび》を持《も》つ竜脚類《りゅうきゃくるい》がよく知《し》られる。これらは巨大化《きょだいか》することで肉食恐竜《にくしょくきょうりゅう》から身《み》を守《まも》り、ジュラ紀《き》にその種類《しゅるい》や数《かず》を増《ふ》やしていった。その一方《いっぽう》で、小《こ》・中型《ちゅうがた》ながらも栄《さか》えた草食恐竜《そうしょくきょうりゅう》がいた。

日本《にほん》で発見《はっけん》されたフクイサウルスをはじめ、イグアノドンやエドモントサウルスなどの鳥脚類《ちょうきゃくるい》の恐竜《きょうりゅう》たちだ。世界各地《せかいかくち》で化石《かせき》が見《み》つかっており、広《ひろ》い範囲《はんい》に多《おお》くいたことがわかっている。口《くち》の先《さき》がくちばし状《じょう》になっているのが特徴《とくちょう》で、かたい植物《しょくぶつ》をつまみ取《と》ったり、ちぎったりするのに便利《べんり》だった。小型《こがた》のものは2足歩行《そくほこう》、中型《ちゅうがた》のものは4足歩行《そくほこう》で、軽快《けいかい》に動《うご》き回《まわ》ることができたようだ。

さらに、現在《げんざい》のアフリカ・サバンナに暮《く》らすヌーやシマウマのように群《む》れで行動《こうどう》し、肉食恐竜《にくしょくきょうりゅう》から身《み》を守《まも》ったともいわれる、ハドロサウルスの仲間《なかま》のなかには、頭部《とうぶ》にトサカ状《じょう》のふくらみを持《も》つものがいた。そこには鼻《はな》から続《つづ》くクダが通《とお》っており、空気《くうき》が通《とお》るときに大《おお》きな音《おと》を出《だ》すことができ、仲間《なかま》に危険《きけん》を知《し》らせるために使《つか》われていたのかもしれない。また、マイアサウラは集団《しゅうだん》で巣《す》を作《つく》り、親《おや》がエサを運《はこ》び子《こ》どもを育《そだ》てたと考《かん》えられている。肉食恐竜《にくしょくきょうりゅう》たちの攻撃《こうげき》から身《み》を守《まも》るため、草食恐竜《そうしょくきょうりゅう》のな

▼ステゴサウルスなどの剣竜類《けんりゅうるい》には、後頭部《こうとうぶ》から尾《お》の先《さき》まで2列《れつ》の板状《いたじょう》・トゲ状《じょう》の突起《とっき》が並《なら》び、戦《たたか》う相手《あいて》を威嚇《いかく》した。

イラスト／藤井康文

▲▶発達《はったつ》した頭部《とうぶ》に長《なが》い角《つの》やえり飾《かざ》りを備《そな》えるトリケラトプス（上《うえ》）。鳥脚類《ちょうきゃくるい》のパラサウロロフス（下《した》）のトサカは音《おと》を出《だ》すための器官《きかん》といわれる。

イラスト／桝村太一

かには武器《ぶき》や防具《ぼうぐ》を進化《しんか》させたものがいた。アンキロサウルスなどのよろい竜《りゅう》は、背中《せなか》をかたい骨《ほね》のよろいでおおい、突起《とっき》やトゲで身《み》を守《まも》った。なかには尾《お》の先《さき》にハンマーのようなこぶを備《そな》え、これをふり回《まわ》して戦《たたか》うものもいたようだ。トリケラトプスなどの角竜類《つのりゅうるい》は、頭部《とうぶ》に長《なが》い角《つの》や盾《たて》のようなえり飾《かざ》りを備《そな》えていた。ステゴサウルスなどの剣竜類《けんりゅうるい》も背中《せなか》に板《いた》やトゲ状《じょう》の骨《ほね》が並《なら》び、これで相手《あいて》を威嚇《いかく》したとみられるが、板状《いたじょう》の部分《ぶぶん》には内部《ないぶ》に血管《けっかん》が発達《はったつ》しており、体温調節《たいおんちょうせつ》に役立《やくだ》ったのではないかともいわれている。

特別《とくべつ》コラム

## 歯《は》でわかる食《た》べ物《もの》

化石《かせき》から恐竜《きょうりゅう》の生活《せいかつ》を知《し》る上《うえ》で重要《じゅうよう》なのが、歯《は》やあごの構造《こうぞう》だ。肉食恐竜《にくしょくきょうりゅう》は、鋭《するど》くとがったナイフやノコギリのような歯《は》を持《も》ち、獲物《えもの》を食《く》いちぎるためにあごの力《ちから》も強《つよ》い。草食動物《そうしょくどうぶつ》では、竜脚類《りゅうきゃくるい》は細長《ほそなが》い棒状《ぼうじょう》の歯《は》を持《も》ち、木《き》の枝《えだ》から葉《は》をそぎ取《と》るために使《つか》い、かまずに丸飲《まるの》みした。鳥脚類《ちょうきゃくるい》のエドモントサウルスなどは、小《ちい》さな歯《は》が数多《かずおお》く集《あつ》まったすき間《ま》のない板状《いたじょう》で、上下《じょうげ》の歯《は》がずれてこすれ合《あ》うように動《うご》き、草《くさ》や葉《は》を細《こま》かくすりつぶすことができた。トリケラトプスなども、すき間《ま》なく歯《は》が密集《みっしゅう》して生《は》え、あごをはさみのように動《うご》かし、植物《しょくぶつ》を細《こま》かく切《き》り刻《きざ》んだ。

# 肉《にく》食《しょく》恐《きょう》竜《りゅう》たちはどのように暮《く》らしていた？

## 獣脚類《じゅうきゃくるい》は鋭《するど》い歯《は》とかぎづめで獲物《えもの》を襲《おそ》う肉食《にくしょく》のハンター

肉食恐竜《にくしょくきょうりゅう》の特徴《とくちょう》は、とがったキバ（歯《は》）やするどいかぎづめ、大《おお》きく開《ひら》く口《くち》、じょうぶなあごなど、獲物《えもの》をしとめるために必要《ひつよう》な武器《ぶき》を備《そな》えていること。さらに、そのほとんどが2足歩行《そくほこう》で、素早《すばや》い動《うご》きが可能《かのう》だった。嗅覚《きゅうかく》や視覚《しかく》などの感覚《かんかく》もすぐれていたと考《かんが》えられている。もちろん、肉食《にくしょく》といっても、昆虫《こんちゅう》を食《た》べるものもいれば、恐竜《きょうりゅう》を食《た》べるものもいたし、積極的《せっきょくてき》に狩《か》りをするものだけでなく、死《し》んだ動物《どうぶつ》を探《さが》したものもいたはずだ。そうした暮《く》らし方《かた》や環境《かんきょう》によって、肉食恐竜《にくしょくきょうりゅう》はさまざまな種類《しゅるい》に分《わ》かれていった。たとえば白亜紀《はくあき》の肉食恐竜《にくしょくきょうりゅう》バリオニクスは、2足歩行《そくほこう》で体《からだ》つきはまさに肉食恐竜《にくしょくきょうりゅう》だが、首《くび》が長《なが》く、細長《ほそなが》い頭《あたま》の形《かたち》はワニとそっくり。水辺《みずべ》に暮《く》らし、魚《さかな》をとらえていたと考《かんが》えられている。

肉食恐竜《にくしょくきょうりゅう》は、三畳紀《さんじょうき》に登場《とうじょう》したころはほとんどが小型《こがた》だったが、ジュラ紀《き》になるとアロサウルス（9～12m）のように大型《おおがた》になるものが現《あらわ》れ、白亜紀《はくあき》にはティラノサウルス、ギガノトサウルス、カルカロドントサウルス、スピノサウルスなど、10mを超《こ》えるものもつぎつぎに登場《とうじょう》した。とはいえ、すべてが大《おお》きくなったわけではなく、小《こ》・中型《ちゅうがた》の肉食恐竜《にくしょくきょうりゅう》も数多《かずおお》かった。

▼ジュラ紀中期《きちゅうき》に登場《とうじょう》した大型《おおがた》の肉食恐竜《にくしょくきょうりゅう》。頭部《とうぶ》はティラノサウルスより細《ほそ》く、目《め》の上《うえ》に角《つの》のような突起《とっき》があった。

【アロサウルスの頭部《とうぶ》】

イラスト／桝村太一

## 獲物《えもの》を追《お》って走《はし》り回《まわ》るには スリムな方《ほう》が便利《べんり》!?

大型《おおがた》になれば攻撃力《こうげきりょく》や破壊力《はかいりょく》は高《たか》まるが、体重《たいじゅう》も重《おも》くなり、速《はや》く走《はし》るのは難《むずか》しかったに違《ちが》いない。ティラノサウルスも、早歩《はやある》き程度《ていど》しかできなかったといわれる。逆《ぎゃく》に小《こ》・中型《ちゅうがた》の肉食恐竜《にくしょくきょうりゅう》は、足《あし》の速《はや》さや素早《すばや》い動《うご》きで獲物《えもの》に襲《おそ》いかかることができた。足《あし》の速《はや》さで知《し》られるのは、ガリミムスなどのダチョウ恐竜《きょうりゅう》の仲間《なかま》だ。時速約《じそくやく》50 kmで走《はし》ったとされる。口《くち》には歯《は》がなく、くちばしで昆虫《こんちゅう》や小《しょう》動物《どうぶつ》などをとらえ、さらに植物《しょくぶつ》も食《た》べる雑食性《ざっしょくせい》だったようだ。

また、ティラノサウルスに近《ちか》いアルバートサウルスは群《む》れで生活《せいかつ》し、おとなと子《こ》どもが協力《きょうりょく》して狩《か》りをしたとされる。若《わか》いアルバートサウルスは体《からだ》が細《ほそ》く速《はや》く走《はし》れたので、獲物《えもの》を追《お》って弱《よわ》らせ、最後《さいご》におとながとどめを刺《さ》したのかもしれない。

【ティラノサウルス】

▲名前《なまえ》は「暴君《ぼうくん》（乱暴《らんぼう》な王様《おうさま》）」の意味《いみ》。大《おお》きな頭《あたま》、強《つよ》いあご、鋭《するど》い歯《は》を持《も》ち、最強《さいきょう》の大型肉食《おおがたにくしょく》恐竜《きょうりゅう》といわれる。

イラスト／菅谷中

特別《とくべつ》コラム

### ティラノサウルスは最強《さいきょう》のハンター

ティラノサウルスは、白亜紀後期《はくあきこうき》に登場《とうじょう》した巨大肉食恐竜《きょだいにくしょくきょうりゅう》。これまで発見《はっけん》された最大《さいだい》のものは、全長《ぜんちょう》13m、推定体重《すいていたいじゅう》は約《やく》6トン。大《おお》きくて頑丈《がんじょう》な頭《あたま》が特徴《とくちょう》で、あごの筋肉《きんにく》も発達《はったつ》していた。そのため、かむ力《ちから》は非常《ひじょう》に強《つよ》く、獲物《えもの》を骨《ほね》ごとばりばり食《た》べたと考《かんが》えられている。正面《しょうめん》を向《む》いた目《め》も、獲物《えもの》との距離《きょり》を測《はか》るのに有効《ゆうこう》だった（立体視《りったいし》）。ただ、前《まえ》あしが短《みじか》く、転《ころ》んでも受《う》け身《み》がとれないため、速《はや》く走《はし》るのは得策《とくさく》ではなかった。獲物《えもの》を追《お》うというより、身《み》をひそめて獲物《えもの》が近《ちか》づくのを待《ま》つ、“待《ま》ち伏《ぶ》せ型《がた》”の狩《か》りをしたのではないかと考《かんが》えられている。

# 恐竜《きょうりゅう》が鳥類《ちょうるい》の祖先《そせん》というのは本当《ほんとう》？

## 小型《こがた》の肉食恐竜《にくしょくきょうりゅう》（獣脚類《じゅうきゃくるい》）の骨格《こっかく》とよく似《に》ていた最古《さいこ》の鳥《とり》「始祖鳥《しそちょう》」

現在知《げんざいし》られている最《もっと》も古《ふる》い鳥類《ちょうるい》である始祖鳥《しそちょう》は、1861年《ねん》にジュラ紀後期《きこうき》の地層《ちそう》から化石《かせき》が発見《はっけん》された。骨格《こっかく》は小型《こがた》の肉食恐竜《にくしょくきょうりゅう》に似《に》ていたが、そこには羽毛《うもう》のあとがはっきりと残《のこ》っていた。この始祖鳥《しそちょう》の発見《はっけん》が「鳥類《ちょうるい》は恐竜《きょうりゅう》から進化《しんか》した」という議論《ぎろん》のきっかけとなった。

恐竜《きょうりゅう》と鳥類《ちょうるい》との関係《かんけい》が、確実視《かくじつし》されるようになったのは、1996年《ねん》以降《いこう》、中国《ちゅうごく》で次々《つぎつぎ》に羽毛《うもう》を持《も》つ恐竜《きょうりゅう》たちが発見《はっけん》されるようになってからだ。歯《は》のないくちばし、上下《じょうげ》に動《うご》く肩関節《かたかんせつ》、叉骨《さこつ》（左右《さゆう》の鎖骨《さこつ》がつながったV字《じ》型《がた》の骨《ほね》）の存在《そんざい》など、羽毛《うもう》のほかにもオビラプトロサウルス類《るい》などの小型獣脚類《こがたじゅうきゃくるい》の恐竜《きょうりゅう》の骨格《こっかく》に、鳥類《ちょうるい》と多《おお》くの共通点《きょうつうてん》があることが明《あき》らかにされた。しかし、疑問《ぎもん》も残《のこ》った。恐竜《きょうりゅう》の前足《まえあし》の指《ゆび》は親指《おやゆび》・人差《ひとさ》し指《ゆび》・中指《なかゆび》の3本《ぼん》が残《のこ》ったことが化石《かせき》などからわかっているが、鳥類《ちょうるい》のつばさ（前足《まえあし》）の骨《ほね》の指《ゆび》は、人差《ひとさ》し指《ゆび》・中指《なかゆび》・薬指《くすりゆび》の3本《ぼん》とい

▼▶始祖鳥《しそちょう》（右《みぎ》）は現在知《げんざいし》られる最《もっと》も古《ふる》い鳥《とり》。ミクロラプトル（下《した》）やアンキオルニスはとても鳥《とり》に近《ちか》い恐竜《きょうりゅう》。

イラスト／菊谷詩子

われていた。しかし、最《さい》近《きん》に日本《にほん》の研究者《けんきゅうしゃ》が鳥《とり》のつばさの指《ゆび》も親指《おやゆび》から中《なか》指《ゆび》の3本《ぼん》であることを発《はっ》生学的《せいがくてき》に明《あき》らかにし、今《いま》や、鳥類《ちょうるい》の祖先《そせん》が恐竜《きょうりゅう》であることは間違《まちが》いないとされる。かつては明確《めいかく》な境界線《きょうかいせん》があった恐竜《きょうりゅう》と鳥《ちょう》類《るい》だが、今《いま》ではどこまでが恐竜《きょうりゅう》で、どこからが鳥《ちょう》類《るい》かがわからないほど連《れん》続的《ぞくてき》な進化《しんか》があったことが明《あき》らかになっている。

ただ、白亜紀前期《はくあきぜんき》には、羽毛恐竜《うもうきょうりゅう》と鳥類《ちょうるい》が共《とも》に生《い》きていたはずだが、恐竜《きょうりゅう》がいつ鳥《とり》になったのか、その境界線《きょうかいせん》はまだはっきりしていない。

【インゲニア】

◀オビラプトルの仲間《なかま》。前足《まえあし》には羽毛《うもう》が生《は》えていた。口《くち》は歯《は》のないくちばしで、主《おも》に植物《しょくぶつ》を食《た》べていたらしい。

イラスト／菊谷詩子

## 保温《ほおん》のための羽毛《うもう》と飛《と》ぶための羽毛《うもう》は同《おな》じではない!?

羽毛《うもう》を持《も》つ恐竜《きょうりゅう》は数多《かずおお》く見《み》つかっている。だが、羽毛《うもう》を持《も》つ恐竜《きょうりゅう》がすべて空《そら》を飛《と》ぶようになったわけではない。羽毛《うもう》の主《おも》な役割《やくわり》は保温《ほおん》であり、空《そら》を飛《と》ぶには「風切《かざき》り羽根《ばね》」という特別《とくべつ》な羽毛《うもう》を備《そな》えたつばさが必要《ひつよう》だ。さらに、骨格《こっかく》や関節《かんせつ》の動《うご》き、筋肉《きんにく》や感覚器官《かんかくきかん》など、さまざまな変化《へんか》が必要《ひつよう》だった。恐竜《きょうりゅう》たちはそれをどのようにして手《て》に入《い》れていったのだろうか。まだまだなぞは多《おお》い。

特別《とくべつ》コラム

### 変化《へんか》した恐竜《きょうりゅう》の姿《すがた》

1996年《ねん》、中国《ちゅうごく》・遼寧省《りょうねいしょう》で発《はっ》見《けん》されたシノサウロプテリクスという小型《こがた》の肉食恐竜《にくしょくきょうりゅう》の化石《かせき》は、世界《せかい》の恐竜《きょうりゅう》学者《がくしゃ》たちを驚《おどろ》かせた。体《からだ》が羽毛《うもう》でおおわれていたことがわかったからだ。それまで、は虫類《ちゅうるい》の仲間《なかま》である恐竜《きょうりゅう》は、当然《とうぜん》のようにうろこでおおわれていると考《かんが》えられていた。それがひっくり返《かえ》ったのだ。

その後《ご》も羽毛恐竜《うもうきょうりゅう》はあいついで見《み》つかった。羽毛《うもう》の作《つく》りから、恐竜《きょうりゅう》たちは飛《と》ぶためでなく、保温《ほおん》のために羽毛《うもう》を発達《はったつ》させていたといわれる。

最近《さいきん》では、「ティラノサウルスの体《からだ》の一部《いちぶ》にも羽毛《うもう》があったのではないか」という説《せつ》も出《で》ている。

# 恐《きょう》竜《りゅう》さん日《にっ》本《ぽん》へどうぞ

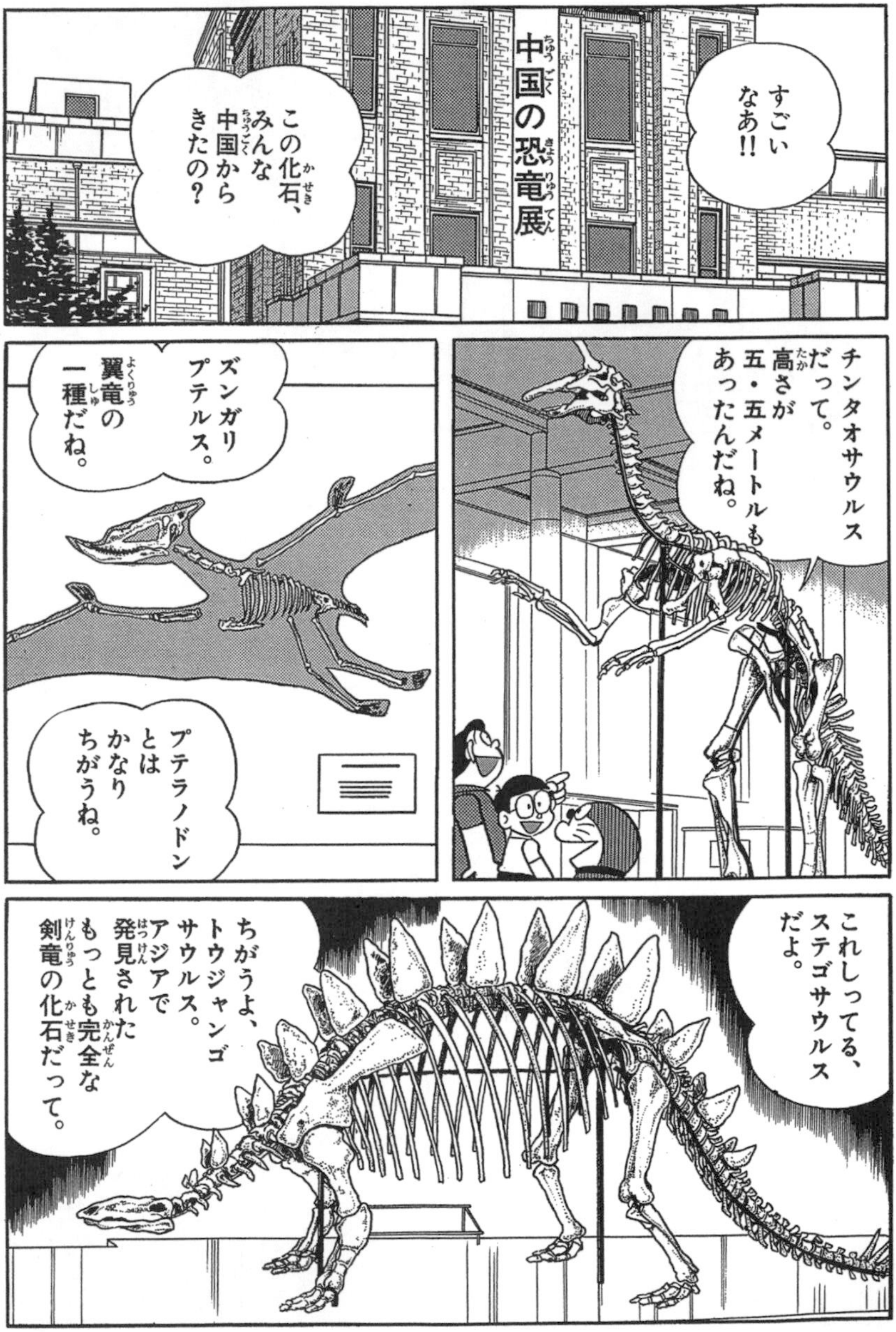
すごいなあ!!

中国《ちゅうごく》の恐竜展《きょうりゅうてん》
この化石《かせき》、みんな中国《ちゅうごく》からきたの?

チンタオサウルスだって。高《たか》さが五・五メートルもあったんだね。

ズンガリプテルス。翼竜《よくりゅう》の一種《しゅ》だね。

プテラノドンとはかなりちがうね。

これしってる、ステゴサウルスだよ。

ちがうよ、トウジャンゴサウルス。アジアで発見《はっけん》されたもっとも完全《かんぜん》な剣竜《けんりゅう》の化石《かせき》だって。

恐竜《きょうりゅう》と失《うしな》われた動物《どうぶつ》たちQ&A《キューアンドエー》

Q 竜脚類《りゅうきゃくるい》などの恐竜《きょうりゅう》が、体内《たいない》で消化《しょうか》に利用《りよう》していたものはどれ？

①泥《どろ》　②石《いし》　③木《き》

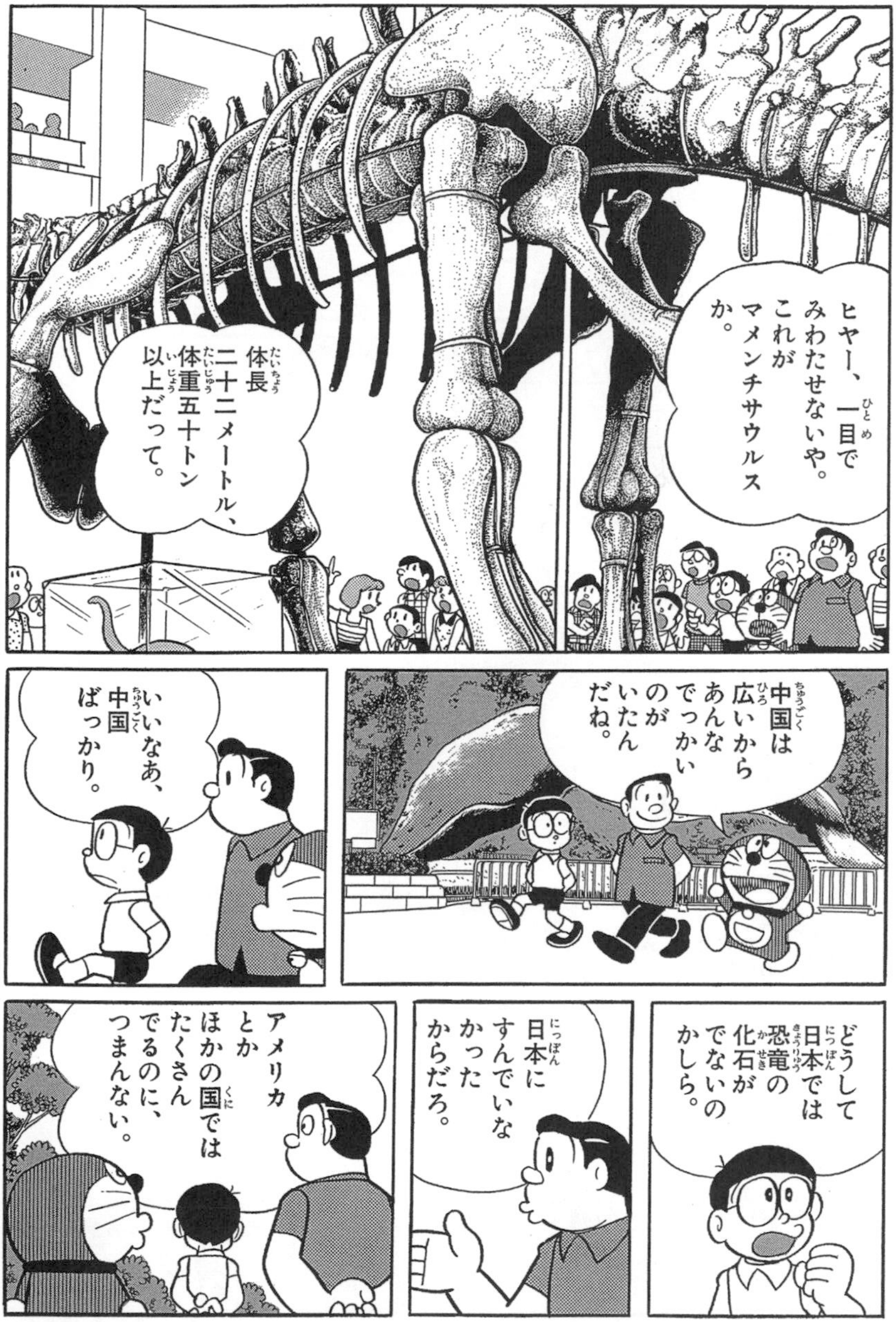
ヒヤー、一目《ひとめ》でみわたせないや。これがマメンチサウルスか。
体長《たいちょう》二十二メートル、体重《たいじゅう》五十トン以上《いじょう》だって。
中国《ちゅうごく》は広《ひろ》いからあんなでっかいのがいたんだね。
いいなあ、中国《ちゅうごく》ばっかり。
どうして日本《にっぽん》では恐竜《きょうりゅう》の化石《かせき》がでないのかしら。
日本《にっぽん》にすんでいなかったからだろ。
アメリカとかほかの国《くに》ではたくさんでるのに、つまんない。

ふうん科学博物館《かがくはくぶつかん》へいってきたの。
「中国《ちゅうごく》の恐竜展《きょうりゅうてん》」おもしろかったよ。
あとでうちへこない？くわしく話《はな》してあげる。
宿題《しゅくだい》をすまして、ピアノのおけいこしてからいくわ。
それよりうちへおいでよ。
パパがアメリカで恐竜《きょうりゅう》の卵《たまご》の化石《かせき》を買《か》ってきたんだ。本物《ほんもの》だぜ。
しずちゃんあっちのほうへいくぞ、きっと。
おへやのおそうじしなさい。
このごろしてないでしょ。
あとで！
いつもあとであとでって…。
なんとかして!!
はやく!!
わかったわかった。

A ②石《いし》 胃石《いせき》と呼《よ》ばれる。せんいの多《おお》い植物《しょくぶつ》を胃《い》のなかですりつぶして消化《しょうか》しやすくするため、石《いし》を飲《の》み込《こ》んでいたらしい。

恐竜《きょうりゅう》と失《うしな》われた動物《どうぶつ》たちQ&A《キューアンドエー》

Q 頭《あたま》の骨《ほね》の厚《あつ》さが15㎝もある石頭《いしあたま》の恐竜《きょうりゅう》がいた。本当《ほんとう》？　ウソ？

「招待錠《しょうたいじょう》」
招待錠
どうしてもきてほしいお客《きゃく》をよぶためのクスリ。
一錠《じょう》とりだして……、
半分《はんぶん》にわる。
パキ
半分《はんぶん》はお客《きゃく》をよびたい場所《ばしょ》におく。
ポイ
あとの半分《はんぶん》は……、
あの人《ひと》でためしてみよう。
パク
ん……？
あの人《ひと》はかならずここへやってくる。
なにかご用《よう》ですか。
用《よう》はないけど。

A 本当《ほんとう》 堅頭竜類《けんとうりゅうるい》のパキケファロサウルス。せっかくの石頭《いしあたま》も戦《たたか》うための武器《ぶき》としては役《やく》に立《た》たなかったらしい。

いかなくちゃ。
かってにあがっちゃこまります。
こまります!!
ドタバタ
はじめにおいた場所《ばしょ》からずれると、きき目《め》がきえる。
……………………。
おじゃましました。
?
しずちゃんをここへよぼう。
残《のこ》りの半分《はんぶん》を!
ちょっとまった。
しずちゃんのつごうも考《かんが》えなくちゃ。
そうか。
ピアノがおわるまでまとう。

**Q** 恐竜《きょうりゅう》のなかには、時速《じそく》50㎞ぐらいの速《はや》さで走《はし》れたものもいた。本当《ほんとう》？ ウソ？

これを使《つか》えば、どんなお客《きゃく》でもよべるの？
そうどんなお客《きゃく》でも。
そうだ!!
ザザーッ
パキ
パキ
パキ
パキ
おい、そんなに大《おお》ぜいだれをよぶの。
半分《はんぶん》をこっちへ残《のこ》して、半分《はんぶん》は「タイムマシン」で大昔《おおむかし》の中国《ちゅうごく》へもっていって……。
半分《はんぶん》のカケラ
恐竜《きょうりゅう》たちにくばるんだよ。
すごい思《おも》いつき!!
恐竜《きょうりゅう》たちが大昔《おおむかし》の日本《にっぽん》へわたってきてすみつけば……。
日本《にっぽん》にも恐竜《きょうりゅう》がいたことになって、
化石《かせき》がでるよ!!

日本《にっぽん》にも外国《がいこく》に負《ま》けない恐竜博物館《きょうりゅうはくぶつかん》ができるぞ!!
ぼくがうちの庭《にわ》から掘《ほ》りだしたりして、
ノビタサウルスなんて名《な》がついたりして。
まてよ………、するとこの半分《はんぶん》は大昔《おおむかし》の日本《にっぽん》におかないと…。
それはかまわない。招待錠《しょうたいじょう》は時間《じかん》をこえてはたらくから。
のびちゃんおそうじすんだ?
あとで!!
これから国家的大事業《こっかてきだいじぎょう》にかかるんだから。
では お客《きゃく》さんたちに、
招待《しょうたい》錠《じょう》をわたしにいこう。
いろんな恐竜《きょうりゅう》にわたそうね。
日本《にっぽん》が気《き》にいってすみついてくれるといいね。

A 本当《ほんとう》　全長約《ぜんちょうやく》３ｍのストルティオミムスは、ダチョウ恐竜《きょうりゅう》と呼《よ》ばれ、長《なが》い足《あし》で速《はや》く走《はし》ることができたといわれる。

Q 現在《げんざい》のカモのような幅広《はばひろ》いクチバシを持《も》つ恐竜《きょうりゅう》がいた。本当《ほんとう》？　ウソ？

一億《おく》三千《ぜん》七百万年前《ひゃくまんねんまえ》、ジュラ紀《き》と白亜紀《はくあき》のさかいめあたりの中国大陸《ちゅうごくたいりく》だよ。
広《ひろ》いなあ…、どうやって恐竜《きょうりゅう》をさがす？「タケコプター」じゃおっつかないよ。

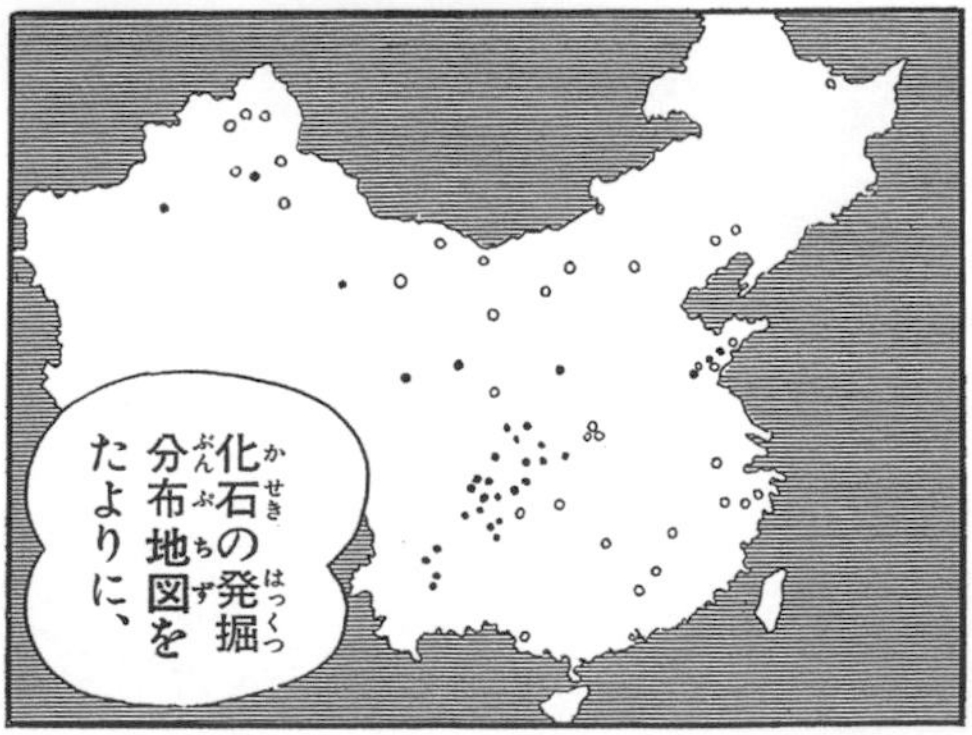
化石《かせき》の発掘《はっくつ》分布地図《ぶんぷちず》をたよりに、

「どこでもドア」でさがしまわろう。

**A** 本当《ほんとう》　草食恐竜《そうしょくきょうりゅう》のエドモントサウルスなどで、カモノハシ恐竜《きょうりゅう》とも呼《よ》ばれる。クチバシで葉《は》を摘《つ》み取《と》り、奥歯《おくば》でかんだ。

まずチンタオサウルス。
山東省《シャントンしょう》の萊陽《ライヤン》へ。
河《かわ》や湖《みずうみ》の近《ちか》くにすんでたとかいてある。
博物館《はくぶつかん》でみた、頭《あたま》に角《つの》みたいのが生《は》えてたやつだね。
………………いないね。
いる！ここから化石《かせき》がでたってことは、本物《ほんもの》がここにいたということだから。
あれ？白亜紀後期《はくあきこうき》のものとかいてある。
前期《ぜんき》と後期《こうき》じゃ何千万年《なんぜんまんねん》もずれてるよ、ドラえもんもあわてものだなあ。
前期《ぜんき》にもいたかもしれないよ。化石《かせき》がみつかってないだけのことかもしれないよ。
ゴボゴボ
ん!?なんだ!?

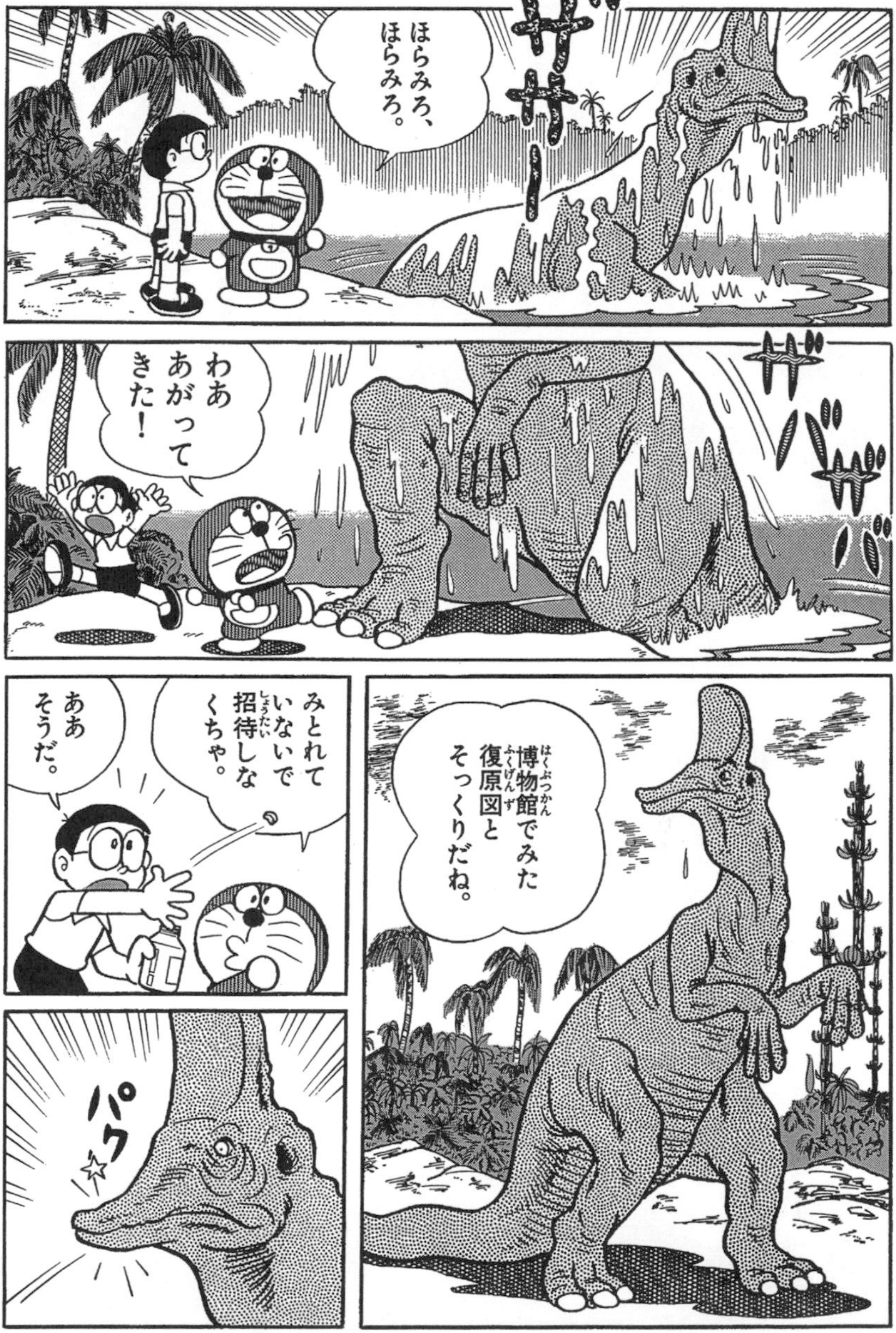
ザザー
ほらみろ、ほらみろ。
ザバザバ
わあ あがってきた!
博物館《はくぶつかん》でみた復原図《ふくげんず》とそっくりだね。
みとれていないで招待《しょうたい》しなくちゃ。
ああそうだ。
パク☆

恐竜《きょうりゅう》と失《うしな》われた動物《どうぶつ》たちQ&A《キューアンドエー》

**Q** 長《なが》いカギ爪《づめ》を持《も》つテリジノサウルスの前足《まえあし》のカギ爪《づめ》の長《なが》さは?

①20cm
②40cm
③70cm

**A**

③70㎝

長《なが》いカギ爪《づめ》で植物《しょくぶつ》の根《ね》を掘《ほ》ったともいわれるが、よくわかっていない。

考《かんが》えこんでる。
クスリはほんとにきくの?
クルッ
ズシーン
ズシン
ズシーン
まっすぐ東《ひがし》へむかって歩《ある》いていくよ。
招待《しょうたい》成功《せいこう》!!
つぎは四川省《スーチョワンしょう》自貢市《ツーコンし》。
そこにはなにがいるの?
これ!!
に、に、日本《にっぽん》へいらっしゃい。
と、と、とってもいい国《くに》だよ。
パク

みんなこころよく日本《にっぽん》へむかってくれる。
もっといろいろよばなくちゃ。
つぎは……。
准《ジュン》噶《ガ》尔《エル》盆《ぼん》地《ち》烏《ウ》尔《エル》禾《ホ》。
ズンガリプテルスだ!!
招待錠《しょうたいじょう》うけとってよ〜。

**恐竜《きょうりゅう》と失《うしな》われた動物《どうぶつ》たちQ&A《キューアンドエー》**

**Q** 化石《かせき》から恐竜《きょうりゅう》のオスとメスは見《み》わけられる？

①場合《ばあい》によっては可能《かのう》 ②見《み》わけることはできない

**A**

①場合《ばあい》によっては可能《かのう》　卵《たまご》を産《う》むメスは、産卵期《さんらんき》に骨内部《ほねないぶ》のカルシウム量《りょう》が増《ふ》える傾向《けいこう》があり、それを調《しら》べることは可能《かのう》。

ユンチュアノサウルス。
これは肉食《にくしょく》恐竜《きょうりゅう》だから用心《ようじん》しよう。
そうっと近《ちか》づいて……。
パ
そしてぜったいにかかせないのが…。
マメンチサウルス!!
ズシ

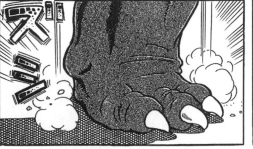

大《だい》迫《はく》力《りょく》!!
みとれていないで、わたさなくちゃ。
あ、そうか。

お〜い!!
この招待錠《しょうたいじょう》をどうぞ。

グ・グーーッ
ふりむいた。
頭《あたま》はあっちへいったよ。
むやみにふりむかないでほしい。
グ・グー
またこっち!
キョロキョロするな。
今《いま》だ!!
パク

恐竜《きょうりゅう》と失《うしな》われた動物《どうぶつ》たち Q&A《キューアンドエー》

Q 頭《あたま》のよい恐竜《きょうりゅう》は? ①マメンチサウルス(竜脚類《りゅうきゃくるい》) ②ステゴサウルス(装盾類《そうじゅんるい》) ③トロオドン(獣脚類《じゅうきゃくるい》)

みんな、ぼくのへやをめざしているんだね。
ぼくらの仕事《しごと》はおわったけど…、
恐竜《きょうりゅう》たちには長《なが》い長《なが》い旅《たび》の始《はじ》まりなんだよ。
日本《にっぽん》まで何《なん》か月《げつ》…いや何年《なんねん》かかるかな。

A ③トロオドン　確《たし》かなことは不明《ふめい》だが、体《からだ》に対《たい》して脳《のう》が占《し》める大《おお》きさや脳《のう》の前部《ぜんぶ》の発達《はったつ》から知能《ちのう》が推測《すいそく》できる。

帰《かえ》りがけにちょっとよってみない?
恐竜《きょうりゅう》たちがたどりついたころの日本《にっぽん》へ?
ぶじについたかどうか。
日本《にっぽん》に満足《まんぞく》してるかどうか。
あ〜っ!!
陸《りく》がない!!
そうだ!! うっかりしてた!!



Q ティラノサウルスの寿命《じゅみょう》はだいたいどれくらいだった?

① 10年《ねん》

② 30年《ねん》

③ 60年《ねん》

ぼくらのすんでるような形《かたち》の日本列島《にっぽんれっとう》ができたのは、ず〜っとあとの時代《じだい》なんだ。東京《とうきょう》なんかまだ海《うみ》の底《そこ》だったんだ!!

じゃ、はるばるやってきた恐竜《きょうりゅう》たちは!?

招待錠《しょうたいじょう》の力《ちから》にはさからえないから、海《うみ》の底《そこ》へ……。

やめろ!!

もうまにあわないよ。

わ〜ん、たいへんなことしちゃった!!

ぼくがよけいなこと考《かん》えたからだ。

A ②30年《ねん》　13歳《さい》ごろが最《もっと》も成長《せいちょう》が速《はや》く、20歳《さい》を過《す》ぎるとあまり成長《せいちょう》しなくなる。寿命《じゅみょう》は30年《ねん》ほどと考《かんが》えられている。

!?
あれ……、
招待錠《しょうたいじょう》のかけらがひとつもない!!
あんまりちらかっていたからおそうじしました!!
すると恐竜《きょうりゅう》たちは!?
もどってみよう。
ひきかえしていくぞ!!
招待錠《しょうたいじょう》がきえたからだね!

**恐竜《きょうりゅう》と失《うしな》われた動物《どうぶつ》たちQ&A《キューアンドエー》**

**Q** ステゴサウルスの背中《せなか》の板《いた》には、体温《たいおん》を調節《ちょうせつ》する役目《やくめ》もあったらしい。本当《ほんとう》? ウソ?

**A** 本当《ほんとう》　板《いた》の表面《ひょうめん》にはたくさんの血管《けっかん》が通《とお》り、骨《ほね》の内部《ないぶ》にも血管《けっかん》の量《りょう》が多《おお》い。体温《たいおん》の調節《ちょうせつ》にも活用《かつよう》したと考《かんが》えられている。

お母《かあ》さま!!
おそうじしてくださってありがとう。
?
こっちはよかったけど……、
しずちゃんのほうは?
悪《わる》いけど…、
卵《たまご》の化石《かせき》みにいくわ。
ぜんぶ、恐竜《きょうりゅう》たちにあげちゃったよ。

いる！ここから化石《かせき》がでたってことは、本物《ほんもの》がここにいたということだから。

# 恐竜《きょうりゅう》たちが生《い》きた時代《じだい》の地球環境《ちきゅうかんきょう》は？

## 超大陸《ちょうたいりく》パンゲアの分裂《ぶんれつ》と温暖化《おんだんか》のなかで進《すす》んだ恐竜《きょうりゅう》の繁栄《はんえい》

恐竜《きょうりゅう》の時代《じだい》である中生代《ちゅうせいだい》（三畳紀《さんじょうき》・ジュラ紀《き》・白亜《はくあ》紀《き》）は、全体的《ぜんたいてき》に気候《きこう》が温暖《おんだん》で、平均気温《へいきんきおん》は今《いま》よりも10～15℃くらい高《たか》かったと考《かんが》えられている。その原因《げんいん》は、活《かっ》発《ばつ》な火山活動《かざんかつどう》によって、大量《たいりょう》の二酸化炭素《にさんかたんそ》が大気中《たいきちゅう》に広《ひろ》がったためといわれる。二酸化炭素《にさんかたんそ》は、現在《げんざい》の地球温暖《ちきゅうおんだん》化《か》の原因《げんいん》としても知《し》られる温室効果《おんしつこうか》ガスだ。当時《とうじ》の濃度《のうど》は、現在《げんざい》の10倍以上《ばいいじょう》あったと推定《すいてい》されている。現在《げんざい》は氷《こおり》に閉《と》ざされた南極大陸《なんきょくたいりく》も、この時代《じだい》は森《もり》におおわれた暖《あたた》かい地域《ちいき》だった。その証拠《しょうこ》に、南極《なんきょく》でもクリオロフォサウルスなどの恐竜《きょうりゅう》の化石《かせき》が見《み》つかっている。

恐竜《きょうりゅう》が登場《とうじょう》した三畳紀《さんじょうき》は、地球上《ちきゅうじょう》のほとんどの陸地《りくち》がひとつに集《あつ》まり、パンゲアという巨大《きょだい》な大陸《たいりく》を作《つく》っていた。乾燥《かんそう》していない沿岸部《えんがんぶ》を中心《ちゅうしん》にシダやソテツの仲間《なかま》などが生《お》い茂《しげ》る森《もり》が広《ひろ》がり、ワニや恐竜《きょうりゅう》など、主竜類《しゅりゅうるい》と呼《よ》ばれるは・虫類《りゅうるい》の仲間《なかま》が栄《さか》えていた。これらの動物《どうぶつ》たちは、自由《じゆう》に移動《いどう》しながら大陸各地《たいりくかくち》に広《ひろ》がっていった。

ジュラ紀《き》になるとパンゲアは北半球《きたはんきゅう》のローラシア大《たい》陸《りく》、南半球《みなみはんきゅう》のゴンドワナ大陸《たいりく》に分裂《ぶんれつ》していく。暖《あたた》かい気《き》候《こう》とともに湿度《しつど》も高《たか》まり、シダ、ソテツに加《くわ》えて針葉樹《しんようじゅ》が広《ひろ》がる広大《こうだい》でうっそうとした森《もり》が生《う》まれ、その豊《ゆた》かな

▼ジュラ紀《き》から白亜紀《はくあき》の地球《ちきゅう》は非常《ひじょう》に温暖《おんだん》で、植物《しょくぶつ》も豊富《ほうふ》だった。その広大《こうだい》な森《もり》が、恐竜《きょうりゅう》たちの繁栄《はんえい》を支《ささ》えていた。

植物《しょくぶつ》を食《た》べる草食恐竜《そうしょくきょうりゅう》、さらにそれを襲《おそ》う肉食恐竜《にくしょくきょうりゅう》たちも、その数《かず》を増《ふ》やしていった。それとともに、恐竜《きょうりゅう》たちの巨大化《きょだいか》も進《すす》んでいった。

白亜紀《はくあき》には、南北《なんぼく》の大陸《たいりく》はさらに分裂《ぶんれつ》が進《すす》み、現在《げんざい》とよく似《に》た配置《はいち》になる。陸地《りくち》が海《うみ》によって分《わ》けられたため、恐竜《きょうりゅう》たちはそれぞれの大陸《たいりく》ごとに違《ちが》った進化《しんか》の道《みち》を歩《あゆ》むことになった。また白亜紀《はくあき》には、美《うつく》しい花《はな》を咲《さ》かせる被子植物《ひししょくぶつ》が現《あらわ》れ、森《もり》はますます豊《ゆた》かになっていった。

【羽毛恐竜・シノサウロプテリクス】

▲この恐竜《きょうりゅう》の羽毛《うもう》は飛《と》ぶために役立《やくだ》つ構造《こうぞう》ではなかった。羽毛恐竜《うもうきょうりゅう》の登場《とうじょう》にも寒冷化《かんれいか》など環境《かんきょう》が関係《かんけい》していたのか？

イラスト／山本匠

特別《とくべつ》コラム

## 被子植物《ひししょくぶつ》の繁栄《はんえい》

恐竜《きょうりゅう》が栄《さか》えた時代《じだい》、植物《しょくぶつ》にも大《おお》きな変化《へんか》があった。白亜紀《はくあき》に登場《とうじょう》した被子植物《ひししょくぶつ》の繁栄《はんえい》だ。それまでの裸子植物《らししょくぶつ》（ソテツやイチョウなど）は、基本的《きほんてき》に花《はな》がお花《ばな》とめ花《ばな》に分《わ》かれ、め花《ばな》にある胚珠《はいしゅ》（種子《しゅし》のもと）はむき出《だ》しになっていた。一方《いっぽう》の被子植物《ひししょくぶつ》は、多《おお》くがひとつの花《はな》におしべとめしべがあり、めしべの組織《そしき》がしっかりと胚珠《はいしゅ》を包《つつ》み込《こ》むように作《つく》られている。

被子植物《ひししょくぶつ》の繁栄《はんえい》につながったのが、昆虫《こんちゅう》を利用《りよう》した受粉《じゅふん》だった。被子植物《ひししょくぶつ》は、栄養豊富《えいようほうふ》な花粉《かふん》や花《はな》のみつを求《もと》めてやってくる昆虫《こんちゅう》に花粉《かふん》を運《はこ》ばせて、効率《こうりつ》よく受粉《じゅふん》させたのだ。

▲被子植物《ひししょくぶつ》の花粉《かふん》やみつは、ハナバチ類《るい》やチョウ類《るい》の繁栄《はんえい》にもつながった。

そしてぜったいにかかせないのが…。
マメンチサウルス!!

# 恐竜《きょうりゅう》たちはなぜ巨大化《きょだいか》したの？

## 陸上動物《りくじょうどうぶつ》で史上最大《しじょうさいだい》だった竜脚類《りゅうきゃくるい》の巨大恐竜《きょだいきょうりゅう》たち

現在《げんざい》、陸上動物《りくじょうどうぶつ》で最大《さいだい》のアフリカゾウは、体重《たいじゅう》5～7・5トン、体《からだ》の高《たか》さ（肩高《けんこう》）は3～4mだ。しかし、中生代《ちゅうせいだい》にはこれをはるかに上回《うわまわ》る、巨大《きょだい》な恐竜《きょうりゅう》たちがいた。セイスモサウルスやスーパーサウルスなどの竜脚類《りゅうきゃくるい》の仲間《なかま》だ。大《おお》きなものは、全長《ぜんちょう》30mを超《こ》え、肩高《けんこう》も5m以上《いじょう》、体重《じゅう》は40トン、なかには100トン近《ちか》くあったものもいたといわれている。長《なが》い首《くび》と尾《お》を持《も》ち、丸々《まるまる》とした太《ふと》い胴《どう》体《たい》を4本《ほん》の足《あし》で支《ささ》えたこの巨大《きょだい》な動物《どうぶつ》たちは、ジュラ紀《き》に種類《しゅるい》や数《かず》を増《ふ》やし、白亜紀末《はくあきまつ》まで栄《さか》えた草食恐竜《そうしょくきょうりゅう》だ。

最初《さいしょ》に巨大化《きょだいか》した恐竜《きょうりゅう》としてよく知《し》られるのは、三畳《さんじょう》紀後期《きこうき》に現《あらわ》れたプラテオサウルスで、全長《ぜんちょう》は約《やく》8m。まだ2足歩行《そくほこう》もできたが、その後《あと》の進化《しんか》とともに4足歩行《そくほこう》となった。

竜脚類《りゅうきゃくるい》は、なぜこれほど大《おお》きくなったのだろうか。まず、中生代《ちゅうせいだい》の地球《ちきゅう》には広大《こうだい》な森《もり》が広《ひろ》がり、食《た》べ物《もの》となる植物《しょくぶつ》が豊《ゆた》かだったことがあげられる。また、恐竜《きょうりゅう》が手《て》に入《い》れたまっすぐ下《した》にのびる足《あし》（29ページ参照《さんしょう》）が大《おお》きな体《からだ》を支《ささ》えるのに適《てき》していたことも、理由《りゆう》のひとつだろう。肉《にく》よりも栄養価《えいようか》が低《ひく》く、消化《しょうか》に時間《じかん》がかかる植物《しょくぶつ》から十分《じゅうぶん》な栄養《えいよう》をとるには、長《なが》い腸《ちょう》など大《おお》きな消化器官《しょうかきかん》を備《そな》えることも重要《じゅうよう》だった。さらに、長《なが》い首《くび》を左右《さゆう》に動《うご》かすことで、効率《こうりつ》よく広《ひろ》い場所《ばしょ》から植物《しょくぶつ》を食《た》べることができたし、

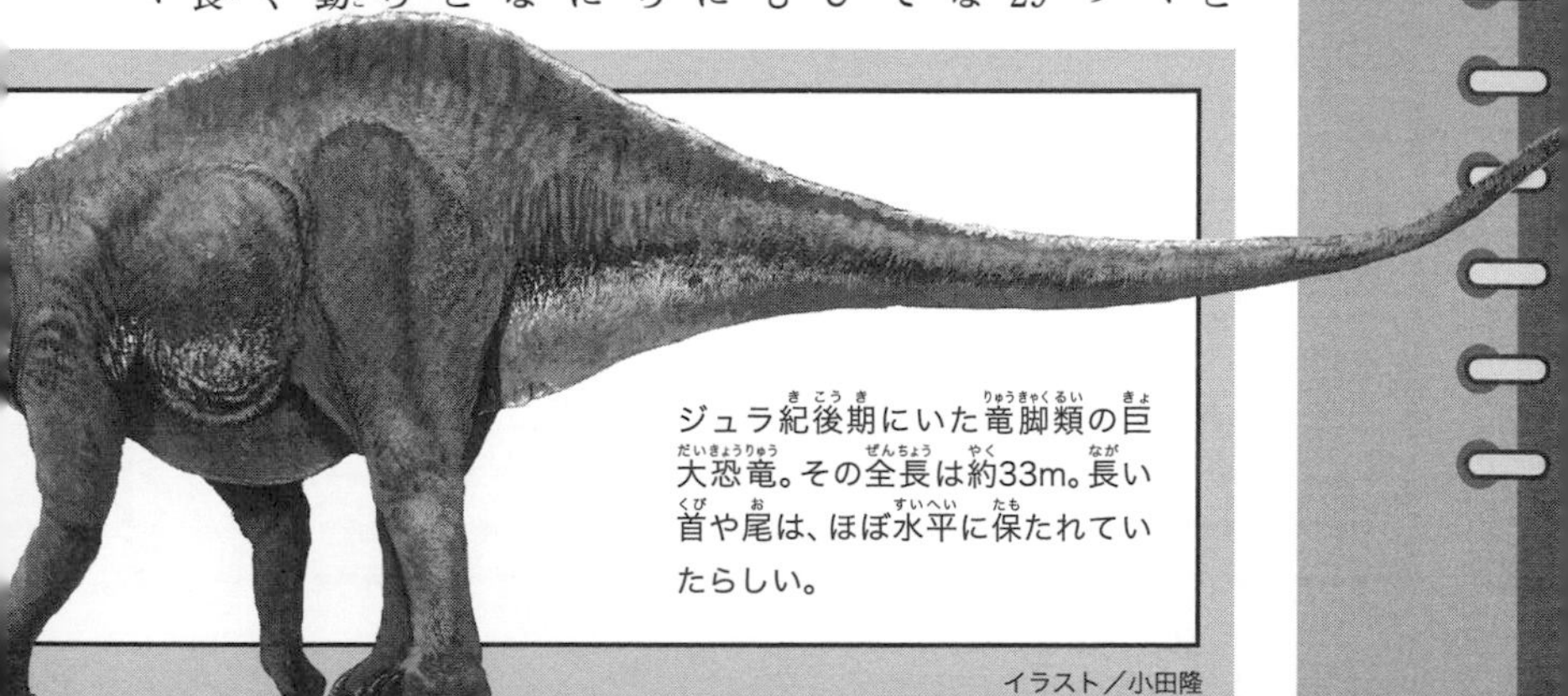

ジュラ紀後期《きこうき》にいた竜脚類《りゅうきゃくるい》の巨大恐竜《きょだいきょうりゅう》。その全長《ぜんちょう》は約《やく》33m。長《なが》い首《くび》や尾《お》は、ほぼ水平《すいへい》に保《たも》たれていたらしい。

イラスト／小田隆

巨大化《きょだいか》は肉食恐竜《にくしょくきょうりゅう》から身《み》を守《まも》る武器《ぶき》にもなるなど、大《おお》きな体《からだ》には生《い》きのびていく上《うえ》で多《おお》くの利点《りてん》があった。

## 巨大恐竜《きょだいきょうりゅう》たちは1日《にち》に500kgの植物《しょくぶつ》を食《た》べた!?

それにしても、もし体重《たいじゅう》40トンの巨大恐竜《きょだいきょうりゅう》が自分《じぶん》の体内《たいない》で熱《ねつ》を作《つく》り体温《たいおん》を一定《いってい》に保《たも》つ内温性《ないおんせい》だったとすると、彼《かれ》らは1日《にち》に500kgもの植物《しょくぶつ》を食《た》べなければならなかったはずだ。このことから、竜脚類《りゅうきゃくるい》の恐竜《きょうりゅう》たちは、現在《げんざい》の は虫類《ちゅうるい》と同《おな》じように、気温《きおん》によって体温《たいおん》が変化《へんか》する外温性《がいおんせい》だったのではないかとも考《かんが》えられている。外温性《がいおんせい》の場合《ばあい》は1日《にち》に食《た》べる量《りょう》が90kgほどですむからだ。

▲全長約《ぜんちょうやく》25mの巨大恐竜《きょだいきょうりゅう》。すりつぶすような歯《は》はなく、上下《じょうげ》の歯《は》でかみ切《き》った植物《しょくぶつ》を、そのまま飲《の》み込《こ》んでいたらしい。

イラスト／桝村太一

### 特別《とくべつ》コラム 巨大恐竜《きょだいきょうりゅう》の首《くび》は真上《まうえ》に上《あ》がらなかった!?

竜脚類《りゅうきゃくるい》のなかでも首《くび》が長《なが》いことで知《し》られるマメンチサウルスは、全長《ぜんちょう》のおよそ半分《はんぶん》にあたる12mもの長《なが》い首《くび》を持《も》っていた。かつて竜脚類《りゅうきゃくるい》の恐竜《きょうりゅう》は、長《なが》い首《くび》をまっすぐ上《うえ》に持《も》ち上《あ》げた姿《すがた》で描《えが》かれていたが、最近《さいきん》は、首《くび》を上《うえ》に上《あ》げるのは難《むずか》しく、ほぼ水平《すいへい》に保《たも》たれていただろうと考《かんが》えられるようになり、復元《ふくげん》イメージも変化《へんか》している。首《くび》の作《つく》りは、上《うえ》よりも下《した》や左右方向《さゆうほうこう》に動《うご》かすのに適《てき》しているという。バロサウルスなどは、後《うし》ろ足《あし》と長《なが》い尾《お》で体《からだ》を支《ささ》えながら前足《まえあし》を上《あ》げ、胴体《どうたい》ごと立《た》ち上《あ》がるようにして、まっすぐ首《くび》を持《も》ち上《あ》げたとも考《かんが》えられている。

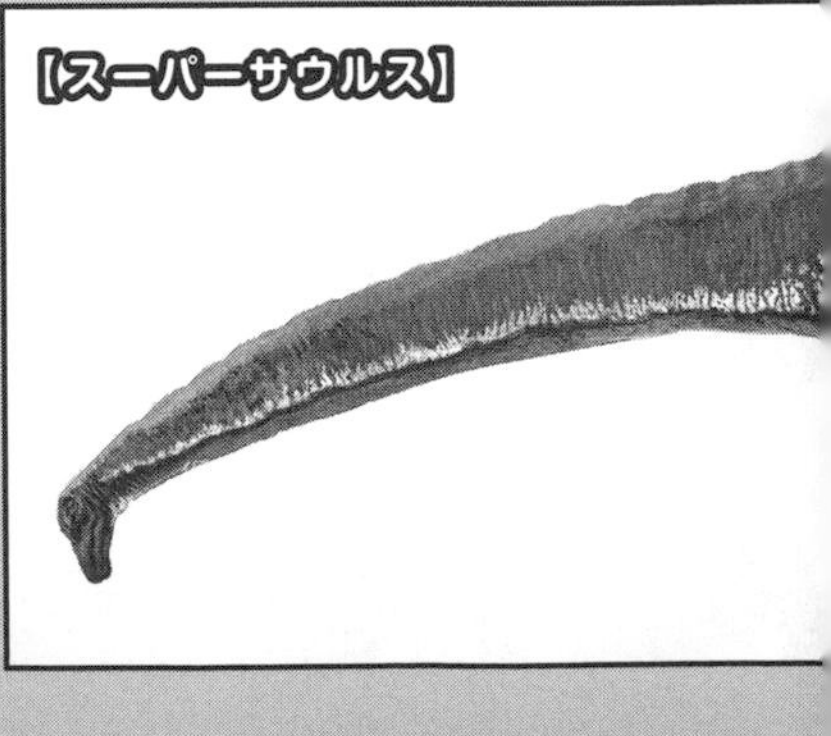

# 恐竜《きょうりゅう》たちが突然《とつぜん》消《き》えてしまったわけは？

## 恐竜絶滅《きょうりゅうぜつめつ》の最大《さいだい》の原因《げんいん》は隕石《いんせき》の衝突《しょうとつ》だった!?

今《いま》からおよそ6550万年前《まんねんまえ》の白亜紀末《はくあきまつ》、世界中《せかいじゅう》で繁《はん》栄《えい》していた恐竜《きょうりゅう》たちが、突然《とつぜん》その姿《すがた》を消《け》してしまった。それは、この時代《じだい》の地層《ちそう》を境目《さかいめ》として、発見《はっけん》される化石《かせき》の種類《しゅるい》が大《おお》きく違《ちが》っていることから明《あき》らかになった。その後《あと》の地層《ちそう》からは、恐竜《きょうりゅう》の化石《かせき》が見《み》つからないのだ。

恐竜《きょうりゅう》はなぜ絶滅《ぜつめつ》してしまったのだろうか。その原因《げんいん》については、大規模《だいきぼ》な火山噴火《かざんふんか》、気候《きこう》の急激《きゅうげき》な変動《へんどう》、病気《びょうき》の流行《りゅうこう》など、さまざまな説《せつ》があったが、現在最《げんざいもっと》も有力《ゆうりょく》なのは、巨大《きょだい》な隕石《いんせき》の衝突《しょうとつ》によって、地球《ちきゅう》の環境《かんきょう》が大《おお》きく変《か》わってしまったという説《せつ》だ。

隕石衝突説《いんせきしょうとつせつ》は、1980年《ねん》に米国《べいこく》の研究者《けんきゅうしゃ》らによって発表《はっぴょう》された。彼《かれ》らは白亜紀《はくあき》と第三紀《だいさんき》（新生代《しんせいだい》）との境目《さかいめ》の地層《ちそう》に含《ふく》まれる元素《げんそ》をくわしく分析《ぶんせき》し、イリジウムという地球《ちきゅう》の表面《ひょうめん》に少《すく》なく、隕石《いんせき》に多《おお》く含《ふく》まれる元素《げんそ》を見《み》つけた。当時《とうじ》はひとつの仮説《かせつ》にすぎなかったが、1991年《ねん》にメキシコのユカタン半島《はんとう》からカリブ海《かい》にかけての地《ち》下《か》に、衝突《しょうとつ》でできたクレーターが発見《はっけん》され、さらにメキシコ湾周辺《わんしゅうへん》で巨大《きょだい》な津波《つなみ》のあとが見《み》つかるなど、隕石衝《いんせきしょう》突《とつ》があったことを示《しめ》す証拠《しょうこ》がつぎつぎに集《あつ》まった。そして、白亜紀末《はくあきまつ》に何《なに》が起《お》きたのかが明《あき》らかになった。

▼隕石《いんせき》の衝突《しょうとつ》によって地球《ちきゅう》の環境《かんきょう》は大《おお》きく変化《へんか》し、地上《ちじょう》を支配《しはい》していた恐竜《きょうりゅう》たちは絶滅《ぜつめつ》へと追《お》い込《こ》まれた。

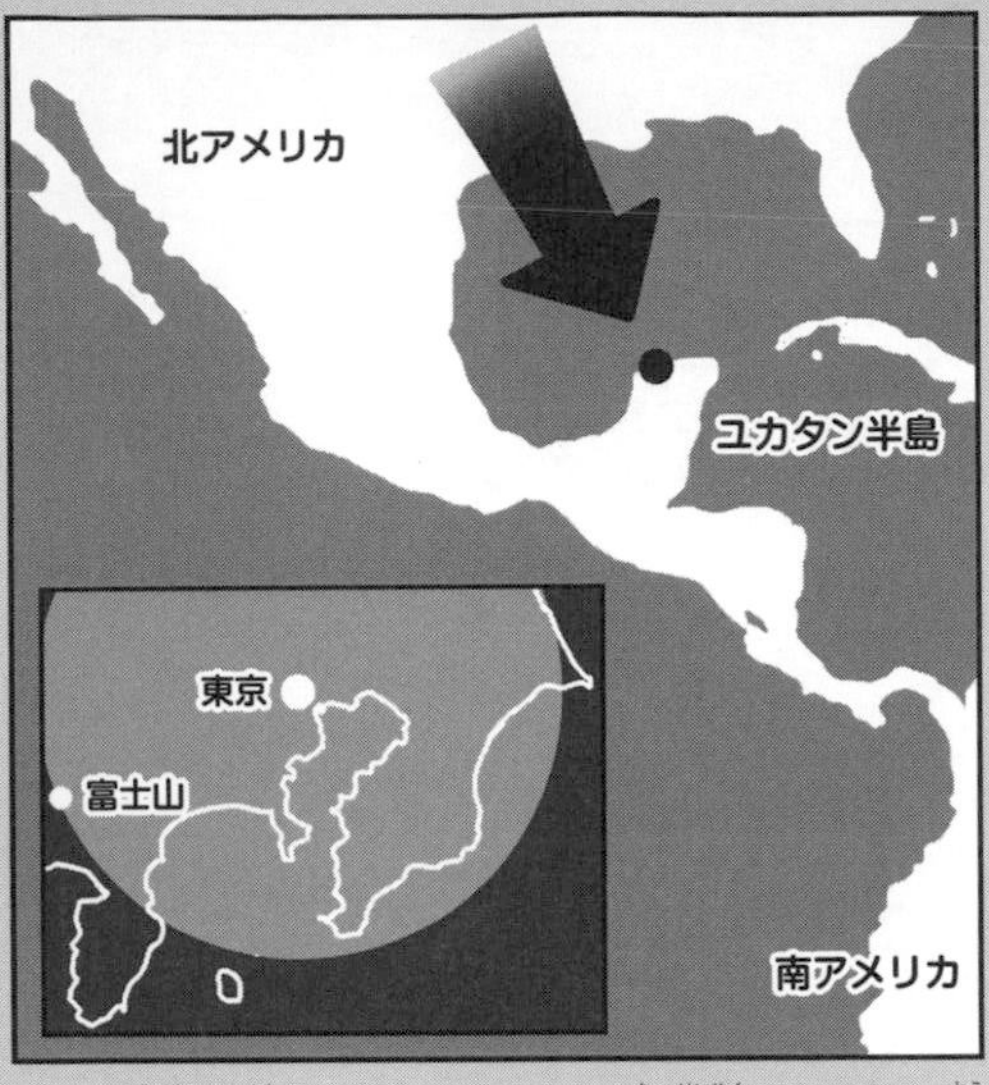


▲隕石《いんせき》の衝突《しょうとつ》でできたクレーターは直径約《ちょっけいやく》200km。もし東京《とうきょう》に落《お》ちたら、関東地方《かんとうちほう》の半分《はんぶん》はクレーターのなかだ。

## 巨大《きょだい》な隕石《いんせき》の衝突《しょうとつ》で地球《ちきゅう》の環境《かんきょう》は大《おお》きく変化《へんか》した

地球《ちきゅう》に落下《らっか》した隕石《いんせき》の大《おお》きさは直径約《ちょっけいやく》10㎞。その衝突《しょうとつ》で直径《ちょっけい》およそ２００㎞におよぶクレーターができ、大気《たいき》中《ちゅう》にばらまかれた大量《たいりょう》の粉《ふん》じんは太陽《たいよう》の光《ひかり》を閉《と》ざし、地《ち》球《きゅう》の環境《かんきょう》は激変《げきへん》した。植物《しょくぶつ》は枯《か》れ、食料《しょくりょう》が減《へ》るなど、恐竜《きょうりゅう》たちはこの変化《へんか》に耐《た》えられずに滅《ほろ》びていったのではないかと、多《おお》くの研究者《けんきゅうしゃ》らは考《かんが》えている。さらに、それ以前《いぜん》から起《お》きていたインド周辺《しゅうへん》での大規模《だいきぼ》な火山噴火《かざんふんか》が長期的《ちょうきてき》に環境《かんきょう》を悪化《あっか》させ、隕石衝突《いんせきしょうとつ》の影響《えいきょう》をさらに大《おお》きくしたなど、いくつかの原因が重《かさ》なったともいわれている。

恐竜《きょうりゅう》だけでなく、首長竜《くびながりゅう》や翼竜《よくりゅう》などのは虫類《ちゅうるい》、アンモナイト類《るい》はじめ多《おお》くの生物種《せいぶつしゅ》が同時期《どうじき》に絶滅《ぜつめつ》している。その一方《いっぽう》で、ワニ、カメなどのは虫類《ちゅうるい》、魚類《ぎょるい》、両生類《りょうせいるい》、鳥類《ちょうるい》やほ乳類《にゅうるい》などの一部《いちぶ》は生《い》きのびた。体《からだ》の大《おお》きな種《しゅ》、大量《たいりょう》の食物《しょくもつ》が必要《ひつよう》だった種《しゅ》が絶滅《ぜつめつ》したともいわれるが、何《なに》が絶滅《ぜつめつ》と生存《せいぞん》を分《わ》けたのかは、まだよくわかっていない。

特別《とくべつ》コラム

### 恐竜《きょうりゅう》も生《い》き残《のこ》った!?

恐竜《きょうりゅう》が絶滅《ぜつめつ》した後《あと》、爆発的《ばくはつてき》な進化《しんか》をとげたのはほ乳類《にゅうるい》だった。恐竜時《きょうりゅうじ》代《だい》のほ乳類《にゅうるい》は、大《おお》きなものでもネコほどと小型《こがた》で、多《おお》くは夜行性《やこうせい》。森《もり》のしげみに身《み》を隠《かく》し、恐竜《きょうりゅう》たちをさけるようにして暮《く》らしていたと考《かんが》えられている。だが、恐竜絶滅後《きょうりゅうぜつめつご》は、支配者《しはいしゃ》が消《き》えた場《ば》所《しょ》に進出《しんしゅつ》してその数《かず》や種類《しゅるい》を増《ふ》やし、大《おお》型化《がたか》しながら繁栄《はんえい》の時代《じだい》を築《きず》いていく。

しかし、忘《わす》れてはいけないのが恐竜《きょうりゅう》から進化《しんか》した鳥類《ちょうるい》だ。現在《げんざい》、鳥類《ちょうるい》の種類《しゅるい》は陸上《りくじょう》せきつい動物《どうぶつ》で最多《さいた》の約《やく》9000種《しゅ》。極地《きょくち》を含《ふく》め、あらゆる環境《かんきょう》に適応《てきおう》して生活《せいかつ》している。恐竜《きょうりゅう》は鳥類《ちょうるい》に進化《しんか》して、今《いま》も進化《しんか》を続《つづ》けている。

# のび太《た》の恐《きょう》竜《りゅう》

ざっと一億《おく》年《ねん》も昔《むかし》白亜紀《はくあき》とよばれる時代《じだい》……。

地球上《ちきゅうじょう》は、は虫類《ちゅうるい》の天下《てんか》だった。その中《なか》でも、王者《おうじゃ》とよぶにふさわしいのがティラノサウルスだ!

これがそのツメの化石《かせき》だ。

ユタ州《しゅう》の恐竜公園《きょうりゅうこうえん》で発掘《はっくつ》されたんだ。

パパのアメリカみやげさ。

ヒエーッこれが?

ホーッ恐竜《きょうりゅう》のカケラ?

本物《ほんもの》?

**Q** フタバスズキリュウは、見《み》つかってから名前《なまえ》がつくまで38年《ねん》もかかった。本当《ほんとう》？ ウソ？

どれどれもっとよくみせて。
ヒョイ
フーム……。
これが何億年《なんおくねん》前《まえ》には生《い》きて動《うご》いてたってわけか。
つぎぼく！
みせてみせて！
たいしたもんだ。しずちゃんみな。
じっとみてるとその時代《じだい》が目《め》にみえてくるような気《き》がするわ。
うっそうとしげったシダのジャングルを、小山《こやま》のような恐竜《きょうりゅう》が……。
ねえ、もういいだろ。みせてよ、はやく！
しまっとこう。貴重《きちょう》なものだからこわされるとこまる。
いいものみちゃった。わたし、はじめてよ。
またみたくなったらえんりょなくどうぞ。
なんだ！ツメの化石《かせき》ぐらいでいばるな！

ぼくは宣言《せんげん》する!!

自分《じぶん》でみつけてみせるぞ!!

爪《つめ》だけじゃなく、恐竜《きょうりゅう》の丸《まる》ごとの化石《かせき》を発掘《はっくつ》してみせる!!

…………………………。

またよけいなこといっちゃった。くやしまぎれにでまかせをいうのがぼくの悪《わる》いくせだ……。

こうなったら、いじでも恐竜《きょうりゅう》の化石《かせき》をみつけなくちゃ!!

しかも丸《まる》ごと!!

できることかできないことか、よく考《かんが》えてからしゃべってくれ!!

そこをなんとか……。

ドラえもんだけがたのみの綱《つな》なんだよ!!

コプ コプ

A 本当《ほんとう》 現在《げんざい》は和名《わめい》でもフタバスズキリュウだが、以前《いぜん》は名前《なまえ》ではなくニックネーム。くわしくは93ページを見《み》よう。

**Q** フタバスズキリュウは、実《じつ》は卵《たまご》を産《う》まなかったかもしれない。本当《ほんとう》? ウソ?

日本《にっぽん》には恐竜《きょうりゅう》なんかすんでいなかった!
いない恐竜《きょうりゅう》の化石《かせき》を、どうやってみつけろというんだ!
だいたいきみは…、
無責任《むせきにん》というか…、
かるはずみ!
おっちょこちょい!
もういい!
いまさらあとへはひけないんだ。
ぼくひとりでやる!
太古の動物
恐竜の発見
化石の見つけ方
怪獣図鑑
どこからかき集《あつ》めてきたのやら……、
山《やま》のように本《ほん》をつみあげて…。
あの頭《あたま》では半分《はんぶん》も理解《りかい》できないと思《おも》うし……、すぐあきてなげだすだろうけど…、
自分《じぶん》の力《ちから》でやってみようという心《こころ》がけはりっぱだ!
失敗《しっぱい》してもいいさ!
あたたかい目《め》で見守《みまも》ってやろう!

A 本当《ほんとう》

は・虫類《ちゅうるい》の場合《ばあい》、たまごを産《う》むためには陸《りく》に上《あ》がる必要《ひつよう》がある。陸《りく》に上《あ》がれず、海《うみ》の中《なか》で子《こ》どもを生《う》んだかもしれないんだ。

あったかーい目《め》……のつもり
なんだよ。
ニタニタとしまらないうすわらいなんかうかべて…。
本《ほん》によると化石《かせき》は古《ふる》い地層《ちそう》からでるという……。
古《ふる》い地層《ちそう》は、地震《じしん》でできた断層《だんそう》や、工事《こうじ》で切《き》りくずしたガケに現《あらわ》れていることが多《おお》いという……。
ガッ
ぼくのカンではここがぜったい有望《ゆうぼう》だ！
ガッ
と、思《おも》って朝《あさ》からほりはじめたんだけど…、
カンがはずれたらしいなあ…。
ヒリヒリ
こらあ！
そんなとこで何《なに》してる！

Q 首長竜《くびながりゅう》の首《くび》が長《なが》いのは、キリンのように首《くび》の骨《ほね》のひとつずつが長《なが》くなったから。本当《ほんとう》？ ウソ？

**A** ウソ　首《くび》の骨《ほね》の数《かず》が増《ふ》えて、長《なが》くなった。キリンの首《くび》の骨《ほね》は7個《こ》だけど、首長竜《くびながりゅう》の仲間《なかま》には70個《こ》以《い》上《じょう》も首《くび》の骨《ほね》があるものもいた。

ダーン
スネ夫《お》！スネ夫《お》！
スネ夫《お》はるすざます。
じゃ、つたえてください。約束《やくそく》の物《もの》みせるから、すぐこいって！
タマゴだって恐竜《きょうりゅう》丸《まる》ごとにちがいないもんな。
みろ、みろ！どんなもんだ！
ぼくひとりでみつけたんだぞ！どうだ！みなおしたか！
だけど、どうしてこれが………、
恐竜《きょうりゅう》のタマゴとわかる？
ただの石《いし》っころかもしれない……。
化石《かせき》だとしても、古代《こだい》の木《き》の実《み》かなんかかもしれない。
ナウマン象《ぞう》のウンコかもしれない。

いやなこというなあ！

そんなこといわれてもたしかめようがないじゃんか！

ドラえもん！

どうすりゃいいんだ！

「タイムふろしき」……。

前《まえ》に使《つか》ったことがあるぞ！これにつつまれた品《しな》は、時間《じかん》をさかのぼるんだ！

この化石《かせき》を一億年前《おくねんまえ》の状態《じょうたい》にもどせば、
正体《しょうたい》がはっきりする。

それでいいんだ！

近《ちか》ごろきみはぼくにたよりすぎるくせがついていた。そんなことじゃ、いつまでたっても独立心《どくりつしん》が育《そだ》たない。

自分《じぶん》の頭《あたま》で考《かんが》え、自分《じぶん》の力《ちから》できりぬけてほしい！

ぼくはあくまで、かげから見守《みまも》っていてあげるからね。

時間《じかん》がかかるなあ……。

なにしろ一億年《おくねん》もさかのぼるんだから、むりないな。

スネ夫《お》さんが…。
約束《やくそく》の物《もの》って、まさか……。
あ、あれね、
もうちょいまってよ。
ハハ〜ン…。
そんなことだと思《おも》ったぜ。
ヘンな笑《わら》い方《かた》するな！
ぼくはうそなんかつかないぞ！
しかも化石《かせき》なんかじゃないぞ！
生《い》きてうごいてるやつだぞ！
うそだったら鼻《はな》でスパゲッティ食《た》べてみせる！
………。
またよけいなこといった……。
まちがいなくタマゴだ！
ようし！これをかえしてみせるぞ！

A ウソ　フタバスズキリュウの仲間《なかま》には、頭《あたま》が大《おお》きく首《くび》が短《みじか》いものもいたよ。くわしくは96ページを見《み》よう。

Q 恐竜《きょうりゅう》の時代《じだい》に空《そら》を飛《と》んでいた翼竜《よくりゅう》は、地球《ちきゅう》で初《はじ》めて空《そら》を飛《と》んだ生《い》き物《もの》だ。本当《ほんとう》？ ウソ？

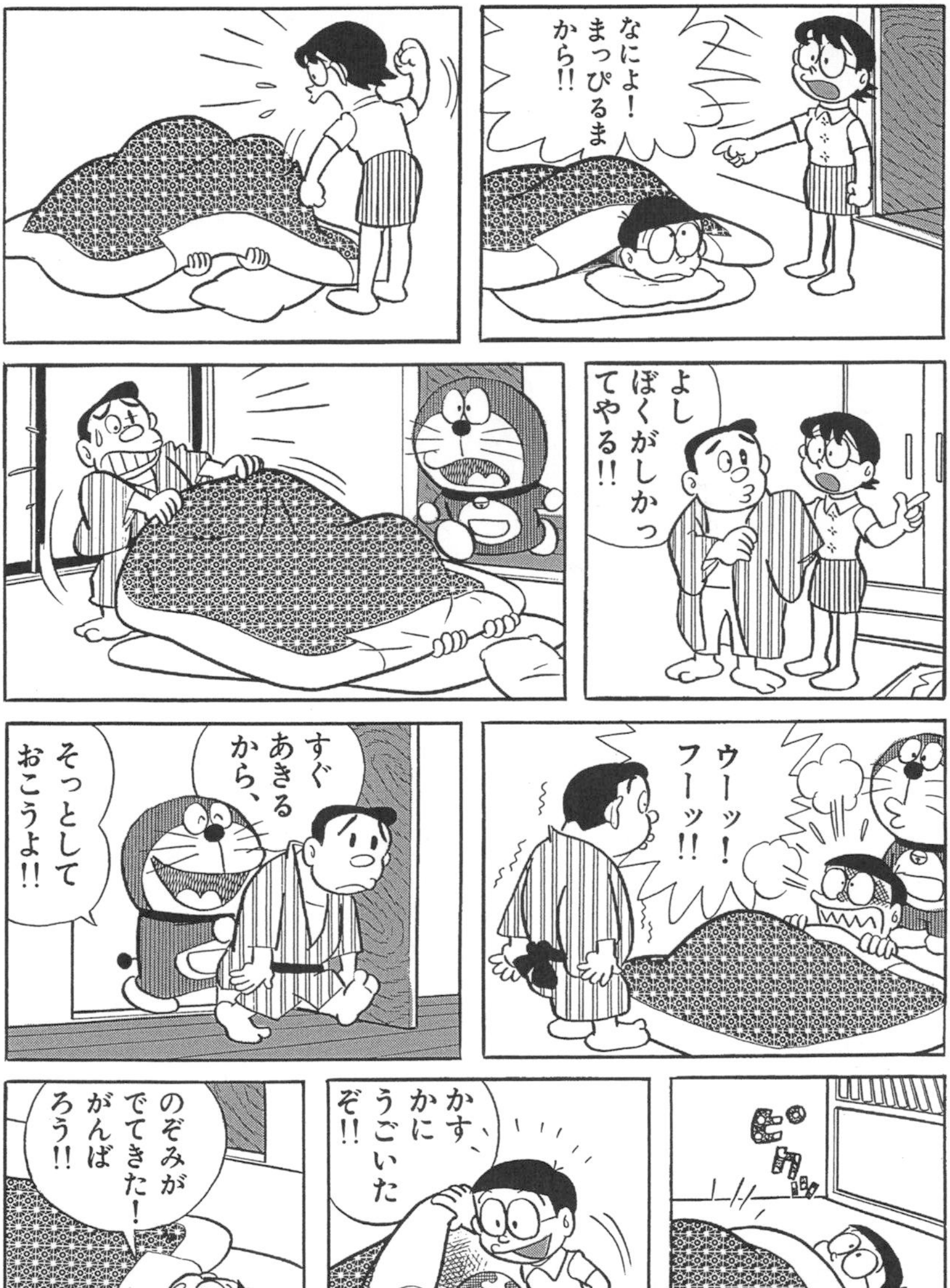
なによ！まっぴるまから!!
よしぼくがしかってやる!!
ウーッ！フーッ!!
すぐあきるから、
そっとしておこうよ!!
ピクッ
かす、かにうごいたぞ!!
のぞみがでてきた！がんばろう!!

A ウソ　地球《ちきゅう》で初《はじ》めて空《そら》を飛《と》んだのは昆虫《こんちゅう》の仲間《なかま》。せきつい動物《どうぶつ》では古生代《こせいだい》に滑空能力《かっくうのうりょく》があるは虫類《ちゅうるい》がいたよ。

ねぞうが悪《わる》くて、タマゴがひえちゃう。
しばってよ。
たいへんだね。お休《やす》み。
ほどいてくれ！
はやく！
もれそう！

ピュイ…。
ピイピイ。
どう！みた？
どんなもんだ！グウとでもいってみろ！
グウ！
いや、おそれいった！
これは首長竜《くびながりゅう》の一種《しゅ》でフタバスズキリュウだ！
白亜紀《はくあき》の日本近海《にっぽんきんかい》にすんでいたんだ。


恐竜《きょうりゅう》と失《うしな》われた動物《どうぶつ》たち Q&A《キューアンドエー》

Q 翼竜《よくりゅう》のクェツァルコアトルスは、広《ひろ》げたつばさが10mもあるが、重《おも》さは人間《にんげん》のおとなぐらい。本当《ほんとう》？ ウソ？

**A** 本当《ほんとう》　骨《ほね》のなかが空《から》っぽで軽《かる》く、体重《たいじゅう》は70kgぐらいしかなかったと考《かんが》えられている。

ピピピピ!!

あれっ!?

こいつぼくのこと親《おや》だと思《おも》ってるのかしら……。

よしよし!かわいいやつだ。おまえの名《な》まえはピー助《すけ》にしよう。

ピュイ!!

スネ夫《お》にみせておどろかせよう!

そこがきみはオッチョコチョイだというんだ。

こんなちっこいのみせたって、トカゲとかなんとか笑《わら》われるにきまってる。それよりも……。

育《そだ》てる?それを?

少《すく》なくとも10メートル以上《いじょう》にね!

迫力満点《はくりょくまんてん》の大公開《だいこうかい》といこう!

エサは何《なに》がいいかなあ……。

さあ……。

ミミズでもさがしてきてみよう!

Q 翼竜《よくりゅう》のプテラノドンという名前《なまえ》は、「歯《は》のないつばさ」という意味《いみ》でつけられた。本当《ほんとう》？ ウソ？

A 本当《ほんとう》 プテラ(つばさ)+ドン(歯《は》)+ノ(ない)でプテラノドン。歯《は》がないのでこの名《な》がついた。

ピーピー！

シーーッ！

ママにみつかったらつまみだされるぞ。

いい子《こ》だからおとなしくねんねしろ。

ただいまあっ！

ピュイ！

せまい押《お》し入《い》れにとじこめちゃかわいそうだな。

散歩《さんぽ》につれてってやろうかな。

大《おお》さわぎになるだろうね。恐竜《きょうりゅう》のペットなんて、日本中《にっぽんじゅう》いや世界中《せかいじゅう》の話題《わだい》になると思《おも》うよ。

そしてピー助《すけ》はつれていかれるね。

学者《がくしゃ》が研究《けんきゅう》のために解剖《かいぼう》するか、動物園《どうぶつえん》で見《み》せ物《もの》にされるか……。

**恐竜《きょうりゅう》と失《うしな》われた動物《どうぶつ》たちQ&A《キューアンドエー》**

**Q** ペリカンのように、くちばしに魚《さかな》などをためて食《た》べるため、翼竜《よくりゅう》には歯《は》がなかった。本当《ほんとう》？　ウソ？

**A** ウソ　たとえば翼竜《よくりゅう》のディモルフォドンは、「2種類《しゅるい》の歯《は》」という意味《いみ》でついた名前《なまえ》で、大《おお》きな歯《は》と小《ちい》さな歯《は》があった。

**Q** つばさではなく、まくで空《そら》を飛《と》ぶ翼竜《よくりゅう》は、同《おな》じようにまくで空《そら》をとぶコウモリの遠《とお》いご先祖《せんぞ》。本当《ほんとう》？ ウソ？

うれしいか、ピー助《すけ》。
ぼくが幼稚園《ようちえん》のころに使《つか》ってたプールだよ。
バシャ
のびちゃん！
ひさしぶりにおさなかったころをしのんでいたんです。
いやあ、なつかしいなあ……
すなおに白状《はくじょう》しなさい!!
近《ちか》ごろ、冷蔵庫《れいぞうこ》のさかなや肉《にく》がやたらになくなるけど……。
イヌかネコをひろってきて、こっそり飼《か》っているんでしょう！
神《かみ》にちかって！イヌもネコも飼《か》っておりません！
じつは恐竜《きょうりゅう》だなんていったら、ひっくり返《かえ》るだろうなあ……。
こんなに育《そだ》っちゃこっそり飼《か》えないよ。
そろそろ……。
まだだ！もっとでっかくしてスネ夫《お》をふるえあがらせるんだ！

**A** ウソ　翼竜《よくりゅう》はは虫類《ちゅうるい》で、コウモリはほ乳類《にゅうるい》。翼竜《よくりゅう》は長《なが》い薬指《くすりゆび》でつばさを作《つく》るが、コウモリは手《て》の指《ゆび》の間《あいだ》がつばさ。

公園《こうえん》の池《いけ》にはなしてきた。
ぼくが呼《よ》んだとき以外《いがい》、顔《かお》をだすなといいきかせてね。
あそこならエサも豊富《ほうふ》だし。
どんなもんかねえ…。
ピイ！
足音《あしおと》だけでぼくがわかるの？
よしよし、さびしかったかい！
夜《よる》しかきてやれなくてごめんな。今夜《こんや》のおみやげはソーセージだよ。

**Q** 翼竜《よくりゅう》は地上《ちじょう》に降《お》りたときは、手足《てあし》を使《つか》ってよつんばいで歩《ある》いた。本当《ほんとう》？ ウソ？

笑《わら》え！
笑《わら》え！
ようし今夜《こんや》あたりきもっ玉《たま》をでんぐり返《がえ》させてやるぞ！
ところがその晩《ばん》から熱《ねつ》をだしてきょうで三日《か》め…。
ザァー
どしゃぶりだ。
わるいなあ。ピー助《すけ》にエサをやってきてくれた？
うん。
でも食《た》べないんだよ。
きみをこいしがってるらしい。
こまるなあ。
ピー助《すけ》！
どこへいくんだ。
おい、よせよ！
ヨロ
ヨロ
ぶり返《かえ》したらどうするんだ。
なおるまでおとなしくねてろ！
ピー助《すけ》……。
ドサ

**A** 本当《ほんとう》 足《あし》あとの化石《かせき》を調《しら》べた結果《けっか》、手足《てあし》を使《つか》って地上《ちじょう》を歩《ある》いたのではないかと考《かんが》えられているよ。

ド
ザ
なんだろ?
わあっ!バカッ!
こんなとこまででてきて、だれかにみられたらどうするんだ!
きもちはわかるよ。ぼくだってあいたかった。
がまんしておくれ、いい子《こ》だから。
ドラえもん公園《こうえん》へつれもどしてくれ!
ちゃんとエサを食《た》べるんだぞ。
ピイ!
もうぐずぐずしていられないな。

Q 鳥《とり》が地球《ちきゅう》に現《あらわ》れたのは、空《そら》を支配《しはい》していた翼竜《よくりゅう》が滅《ほろ》んだあと、新生代《しんせいだい》になってから。本当《ほんとう》？ ウソ？

おうい スネ夫《お》!!
約束《やくそく》の物《もの》、今夜《こんや》みせるぞ!!
あすは日曜《にちよう》ざんしょ。とまりがけで軽井沢《かるいざわ》へでかけましたの。
しずちゃんも一泊《ぱく》旅行《りょこう》!?
アルバイトでおじいさんと山《やま》へしばかり……。
たしかにみたって人《ひと》が……
公園《こうえん》の池《いけ》から……!?
まあ!!
公園《こうえん》の池《いけ》に怪獣《かいじゅう》が!?
生物学界《せいぶつがっかい》ではありえないこととして否定《ひてい》していますが、
うわさが広《ひろ》まるにつれて、当局《とうきょく》もすててはおけず……
ガーン
あす、池《いけ》に潜水夫《せんすいふ》をもぐらせて……。

**A** ウソ　鳥《とり》は、翼竜《よくりゅう》もいたジュラ紀《き》にはすでに登場《とうじょう》している。

ピー助《すけ》、ここがおまえの世界《せかい》なんだよ。
ここでしあわせにくらすんだよ。



Q ほ乳類《にゅうるい》も、恐竜《きょうりゅう》などが栄《さか》えた時代《じだい》に登場《とうじょう》。では化石《かせき》で下《した》のあごの骨《ほね》がひとつなら、ほ乳類《にゅうるい》？　は虫類《ちゅうるい》？

じゃ、元気《げんき》でな…。
ピ…。
ドスッ
ドスッ
あっ、ついてきちゃだめだよ。
ピョコ
ピョコ
だめだったらだめなんだよっ。
はなせこら！
これだけいってもわかんないのかっ!!
近《ちか》よるとぶんなぐるぞっ！
ピュイ。
ピューイ
ピューイ
ピューイ

**A ほ乳類《にゅうるい》**

ほ乳類《にゅうるい》のご先祖《せんぞ》は、下《した》あごが複数《ふくすう》の骨《ほね》でできていたが、一部《ぶ》が耳《みみ》の骨《ほね》になり、下《した》あごの骨《ほね》はひとつになった。

ピューイ
ピューイ
ピューイ
今度《こんど》のできごとは、のび太《た》くんがぼくにたよらず、まがりなりにも自分《じぶん》で考《かんが》えて行動《こうどう》した点《てん》で大《おお》きな意味《いみ》があった。
これからも大《おお》いに独立心《どくりつしん》を強《つよ》め…
なんでも自分《じぶん》ひとりの力《ちから》で……。
鼻《はな》でスパゲッティ食《た》べる機械《きかい》をだしてくれえ!
できることかできないことか考《かんが》えてからしゃべるもんだ!

# フタバサウルスの発見者《はっけんしゃ》は高校生《こうこうせい》？

ぼくのカンではここがぜったい有望《ゆうぼう》だ！

## 当時《とうじ》高校生《こうこうせい》だった「鈴木《すずき》さん」が「双葉《ふたば》」という地層《ちそう》から発見《はっけん》した！

フタバスズキリュウの化石《かせき》が発見《はっけん》されたのは、1968年《ねん》10月《がつ》6日《か》のこと。発見者《はっけんしゃ》は、当時《とうじ》、高校二年生《こうこうにねんせい》だった鈴木直《すずきただし》さんだった。

それまでにもは虫類《ちゅうるい》やアンモナイトの化石《かせき》を見《み》つけていた鈴木《すずき》さんは、福島県《ふくしまけん》いわき市《し》の大久川《おおひさがわ》の川《かわ》べりに、幅《はば》1・5mぐらいにわたって骨《ほね》がのぞいているのを発見《はっけん》。すぐに国立科学博物館《こくりつかがくはくぶつかん》の研究者《けんきゅうしゃ》に連絡《れんらく》をして、約《やく》2年《ねん》をかけほぼ全身《ぜんしん》の骨《ほね》を掘《ほ》り出《だ》した。

写真／朝倉秀之（いわき市石炭・化石館所蔵）

【フタバサウルス】

▲全身《ぜんしん》の約《やく》7割《わり》の骨《ほね》が見《み》つかり、保存状態《ほぞんじょうたい》もよかった。

「フタバスズキリュウ」という名前《なまえ》は、鈴木《すずき》さんの名前《なまえ》と、化石《かせき》が見《み》つかった「双葉層群《ふたばそうぐん》」という地層《ちそう》の名前《なまえ》からつけられたニックネーム。それまで、日本《にほん》では恐竜《きょうりゅう》やその時代《じだい》の大型《おおがた》は虫類《ちゅうるい》の化石《かせき》は見《み》つからないと思《おも》われていた。そんな常識《じょうしき》をひっくり返《かえ》す、ものすごい大発見《だいはっけん》をしたのが高校生《こうこうせい》だったなんて、びっくりだね。

特別《とくべつ》コラム

### フタバスズキリュウとフタバサウルスの関係《かんけい》は？

「フタバサウルス」と「フタバスズキリュウ」、呼《よ》び方《かた》は違《ちが》うけれど同《おな》じもの。

生物《せいぶつ》の名前《なまえ》は、国《くに》によって呼《よ》び方《かた》が違《ちが》うので、研究者《けんきゅうしゃ》が世界中《せかいじゅう》で通《つう》じる名前《なまえ》をつける。それを学名《がくめい》といい、フタバスズキリュウの学名《がくめい》を、正《ただ》しくは「フタバサウルス・スズキイ」というよ。「フタバスズキリュウ」というのは、日本《にほん》でつけられたニックネームだったが、フタバサウルスという学名《がくめい》がついたとき、学名《がくめい》の日本語訳《にほんごやく》の和名《わめい》になった。これからはこの本《ほん》でも「フタバスズキリュウ」ではなく、「フタバサウルス」と呼《よ》ぶことにするよ。

ピュイー…。

# フタバサウルスは恐竜《きょうりゅう》なの？

## 恐竜《きょうりゅう》ではないけれど 恐竜《きょうりゅう》と呼《よ》んだ時期《じき》もあった！

【ディメトロドン】

▲体《からだ》にほがあり、うろこもあるが、は虫類《ちゅうるい》ではなくほ乳類《にゅうるい》の遠《とお》いご先《せん》祖《ぞ》。全長《ぜんちょう》1.7〜3.3m。古生代《こせいだい》ペルム紀前期《きぜんき》。　イラスト／菊谷詩子

まんがのタイトルは『のび太《た》の恐《きょう》竜《りゅう》』となっているけれど、フタバサウルスは、正《ただ》しくは恐竜《きょうりゅう》ではなく、首長竜《くびながりゅう》というは虫《ちゅう》類《るい》の仲間《なかま》。では、なぜ『のび太《た》の恐《きょう》竜《りゅう》』というタイトルがついているのだろう？

その答《こた》えを出《だ》す前《まえ》に、上《うえ》のイラストを見《み》てほしい。

ディメトロドンという、恐竜《きょうりゅう》の時代《じだい》の少《すこ》し前《まえ》の生《い》き物《もの》だ。「ほを持《も》つは虫類《ちゅうるい》」といわれることもあるけれど、恐竜《きょうりゅう》どころか、恐竜《きょうりゅう》や首長竜《くびながりゅう》のようなは虫類《ちゅうるい》でもない。単弓類《たんきゅうるい》という、ほ乳類《にゅうるい》の遠《とお》いご先《せん》祖《ぞ》の生《い》き物《もの》だ。

最近《さいきん》では恐竜《きょうりゅう》やその時代《じだい》の生《い》き物《もの》に対《たい》する理解《りかい》が深《ふか》まり、恐竜《きょうりゅう》は恐竜《きょうりゅう》、首長竜《くびながりゅう》は首長竜《くびながりゅう》と分《わ》けて呼《よ》ぶのがふつう。でも恐竜《きょうりゅう》のことがあまり知《し》られていないころ、首長《くびなが》竜《りゅう》と言《い》っても恐竜《きょうりゅう》との違《ちが》いがわからない人《ひと》が多《おお》く、むしろ首長竜《くびながりゅう》も翼竜《よくりゅう》も単弓類《たんきゅうるい》も、みんなあわせて「恐竜《きょうりゅう》」と呼《よ》ぶことが多《おお》かった。首長竜《くびながりゅう》なのに恐竜《きょうりゅう》とタイトルについているのは、「恐竜《きょうりゅう》」という言葉《ことば》が、「恐竜《きょうりゅう》の時代《じだい》の生《い》き物《もの》」ぐらいの意味《いみ》で使《つか》われていたからなんだろうね。

じつは恐竜《きょうりゅう》だなんていったら、ひっくり返《かえ》るだろうなあ……。

▼のび太《た》のセリフにもあるが、首長竜《くびながりゅう》でも、恐竜《きょうりゅう》と呼《よ》ぶ方《ほう》がふつうだった。

## フタバサウルスは首長竜《くびながりゅう》 ひれになった手足《てあし》で海《うみ》を泳《およ》いだ

フタバサウルスは、首長竜《くびながりゅう》のなかでも首《くび》の長《なが》さが目立《めだ》つエラスモサウルス類《るい》。大《おお》きさは約《やく》７ｍ。約《やく》８５００万《まん》年前《ねんまえ》の白亜紀後期《はくあきこうき》、日本《にほん》の近海《きんかい》にすみ、魚《さかな》やイカの仲間《なかま》を食《た》べていたらしい。

首長竜《くびながりゅう》は、前足《まえあし》、後《うし》ろ足《あし》が鰭《ひれ》になっていることから「鰭《き》竜《りゅう》」と呼《よ》ばれることもある。原始的《げんしてき》な首長竜《くびながりゅう》は体《からだ》をくねらせて泳《およ》いでいたというけれど、水中《すいちゅう》の生活《せいかつ》になれ、前《まえ》足《あし》、後《うし》ろ足《あし》がひれになって、泳《およ》げるようになったんだ。また長《なが》い首《くび》には骨《ほね》がたくさんあり、仲間《なかま》のエラスモサウルスには、首《くび》に76個《こ》も骨《ほね》がある。フタバサウルスは全身《ぜんしん》の約《やく》7割《わり》もの骨《ほね》が見《み》つかっているけれど、残念《ざんねん》なことに長《なが》い首《くび》の骨《ほね》があまり見《み》つかっていない。鈴木《すずき》さんが見《み》つけたときには、川《かわ》の流《なが》れでけずられてしまっていたのかもしれないんだ。

またフタバサウルスの化石《かせき》のまわりにはサメの歯《は》がたくさんあり、一部《いちぶ》は骨《ほね》にささっていた。サメに襲《おそ》われてやられたのか、あるいは死《し》んだあとでサメにかじられたのではないかと考《かんが》えられているよ。

**特長《とくちょう》1** 目《め》と鼻《はな》の間《あいだ》が、仲間《なかま》の首長竜《くびながりゅう》よりも離《はな》れている。

**特長《とくちょう》2** 胸《むね》の骨《ほね》のひとつに、仲間《なかま》の首長竜《くびながりゅう》にはない出《で》っ張《ば》りがある。

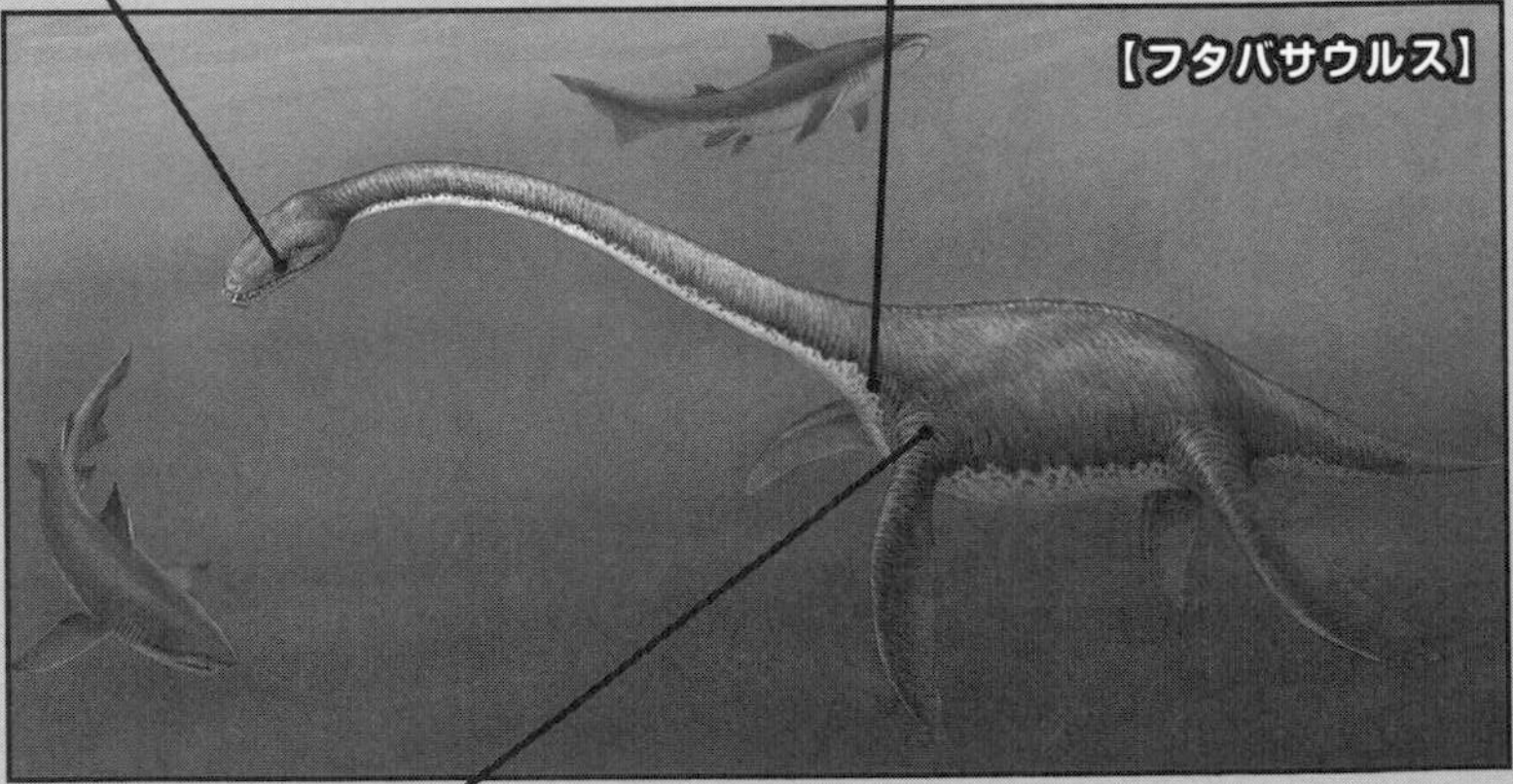


**特長《とくちょう》3** 前足《まえあし》の骨《ほね》（上腕骨《じょうわんこつ》）が、後《うし》ろ足《あし》の骨《ほね》（大《だい》たい骨《こつ》）より長《なが》い。

イラスト／浅井粂男

# 中生代《ちゅうせいだい》、海《うみ》と空《そら》を支配《しはい》したのはは・虫類《ちゅうるい》!?

## マグロやサメにそっくりな海生《かいせい》は・虫類《ちゅうるい》——魚竜《ぎょりゅう》

見《み》た目《め》は魚《さかな》そっくりだけど、魚竜《ぎょりゅう》は、は・虫類《ちゅうるい》の仲間《なかま》。一生《いっしょう》を海《うみ》で過《す》ごし、えものを追《お》って泳《およ》ぐために、魚《さかな》のような流線型《りゅうせんけい》の体《からだ》に進化《しんか》した。ほ・乳類《にゅうるい》のイルカが、魚《さかな》のような体型《たいけい》をしているのも同《おな》じこと。

さらに魚竜《ぎょりゅう》は、は・虫類《ちゅうるい》なのに卵《たまご》でなく子《こ》どもを生《う》む。カメなどは、卵《たまご》を生《う》むため陸《りく》に上《あ》がる。魚竜《ぎょりゅう》は水《みず》の中《なか》で子《こ》どもを生《う》むことで、陸《りく》に上《あ》がらなくてもよくなったんだ。

▲大《おお》きな目《め》が特徴《とくちょう》。全長約《ぜんちょうやく》3.5～6m。ジュラ紀後期《きこうき》。

イラスト／福田裕

## 水中生活《すいちゅうせいかつ》になれたは・虫類《ちゅうるい》——首長竜《くびながりゅう》首《くび》の短《みじか》い仲間《なかま》もいた

魚竜《ぎょりゅう》より後《あと》に現《あらわ》れ、白亜紀《はくあき》に、海《うみ》の生態系《せいたいけい》のトップに立《た》ったのが首長竜《くびながりゅう》。

首長竜《くびながりゅう》というけれど、首《くび》が長《なが》いプレシオサウルス類《るい》と、頭《あたま》が大《おお》きく首《くび》が短《みじか》いプリオサウルス類《るい》がいる。どちらも前足《まえあし》、後《うし》ろ足《あし》はひれの形《かたち》をしており、海《うみ》の中《なか》を泳《およ》いで暮《く》らしていた。

魚《さかな》やイカを食《た》べていたが、ほかの海生《かいせい》は・虫類《ちゅうるい》や翼竜《よくりゅう》を襲《おそ》って食《た》べることもあったらしいぞ。

▼首《くび》の短《みじか》いプリオサウルス類《るい》では最大級《さいだいきゅう》。全長約《ぜんちょうやく》10m。白亜紀前期《はくあきぜんき》。

イラスト／福田裕

## トカゲ・カメ・ワニの仲間《なかま》も水中《すいちゅう》や水辺《みずべ》で暮《く》らしていた

トカゲやヘビ、カメ、ワニなど、現在《げんざい》も生《い》きているは虫《ちゅう》類《るい》の仲間《なかま》も登場《とうじょう》し、恐竜《きょうりゅう》と同《おな》じ時代《じだい》の地球《ちきゅう》にすんでいた。ここでは、海《うみ》や水辺《みずべ》にすんだものの代表《だいひょう》を紹介《しょうかい》。陸上《りくじょう》にも恐竜《きょうりゅう》以外《いがい》にいろいろなは虫類《ちゅうるい》がすんでいたから、自《じ》分《ぶん》でも調《しら》べてみよう。

【モサザウルス】

海《うみ》にすむトカゲの仲間《なかま》。全長《ぜんちょう》約《やく》4〜7m。白亜紀後期《はくあきこうき》。

【アーケロン】

これまで知《し》られている最大《さいだい》のカメ類《るい》。全長《ぜんちょう》約《やく》4m。白亜紀後期《はくあきこうき》。

【デイノスクス】

水辺《みずべ》で恐竜《きょうりゅう》も襲《おそ》った最大級《さいだいきゅう》のワニ。全長《ぜんちょう》約《やく》8m〜。白亜紀後期《はくあきこうき》。

イラスト／福田裕

## 空《そら》のは虫類《ちゅうるい》——翼竜《よくりゅう》羽《はね》でなく、まくで空《そら》を飛《と》んだ

恐竜《きょうりゅう》の時代《じだい》、空《そら》を支配《しはい》したのがは虫類《ちゅうるい》の仲間《なかま》の翼竜《よくりゅう》。ほ乳類《にゅうるい》やは虫類《ちゅうるい》、鳥類《ちょうるい》、魚類《ぎょるい》など、背骨《せぼね》のある動物《どうぶつ》のなかで最初《さいしょ》に飛《と》んだ生《い》き物《もの》でもある。

つばさのように見《み》えるのは、体《からだ》と長《なが》い薬指《くすりゆび》の間《あいだ》に張《は》ったまく。飛《と》び方《かた》はよくわかっていないが、小《ちい》さい種《しゅ》は鳥《とり》のようにはばたいて飛《と》んだといわれているよ。

尾《お》が長《なが》いランフォリンクス類《るい》と、尾《お》が短《みじか》いプテロダクティルス類《るい》に分《わ》かれる。

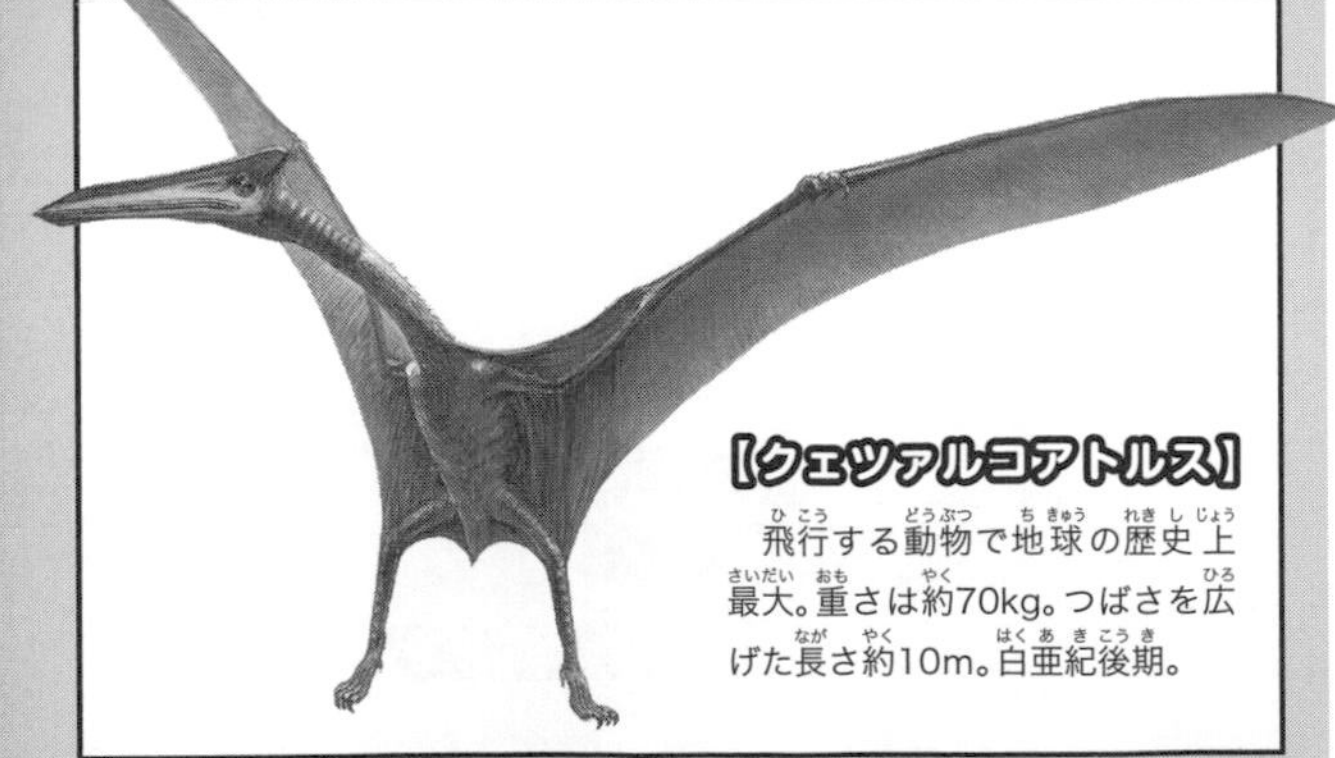

【クェツァルコアトルス】

飛行《ひこう》する動物《どうぶつ》で地球《ちきゅう》の歴史上《れきしじょう》最大《さいだい》。重《おも》さは約《やく》70kg。つばさを広《ひろ》げた長《なが》さ約《やく》10m。白亜紀後期《はくあきこうき》。

イラスト／風美衣

エサは何
いいかなあ……。
さあ……。

# わたしたちの祖《そ》先《せん》は恐竜《きょうりゅう》とともに暮《く》らした？

## 中生代《ちゅうせいだい》、恐竜《きょうりゅう》の時代《じだい》にほ乳類《にゅうるい》も誕生《たんじょう》！

恐竜《きょうりゅう》が栄《さか》えた中生代《ちゅうせいだい》の前《まえ》、古生代《こせいだい》に地上《ちじょう》を支配《しはい》していたのが盤竜類《ばんりゅうるい》。そしてこの盤竜類《ばんりゅうるい》、実《じつ》はほ乳類《にゅうるい》の遠《とお》いご先祖《せんぞ》でもある。

盤竜類《ばんりゅうるい》は、古生代《こせいだい》の終《お》わりにほとんど滅《ほろ》び、小《ちい》さな生《い》き物《もの》だけが生《い》き残《のこ》った。その生《い》き残《のこ》りから進化《しんか》して誕《たん》生《じょう》したのがほ乳類《にゅうるい》。ほ乳類《にゅうるい》の誕生《たんじょう》は三畳紀《さんじょうき》後《こう》期《き》。ネズミくらいの小《ちい》さな生《い》き物《もの》だったぞ。

▼原始的《げんしてき》ほ乳類《にゅうるい》。植物《しょくぶつ》を食《た》べたらしい。全長約《ぜんちょうやく》17cm。三畳紀後期《さんじょうきこうき》。

【ハラミヤビア】

イラスト／伊藤丙雄

## 特別《とくべつ》コラム 中生代《ちゅうせいだい》にはもう滅《ほろ》びてしまったほ乳類《にゅうるい》もいた

盤竜類《ばんりゅうるい》や獣弓類《じゅうきゅうるい》は、ほ乳類《にゅうるい》の祖先《そせん》ではあるけれど、ほ乳類《にゅうるい》ではない。現在《げんざい》もいるほ乳類《にゅうるい》は、単孔類《たんこうるい》、有袋類《ゆうたいるい》、有胎盤類《ゆうたいばんるい》だけだが、恐竜《きょうりゅう》がいた時代《じだい》には、多丘歯類《たきゅうしるい》など、ほ乳類《にゅうるい》の仲間《なかま》がほかにもいたんだ。

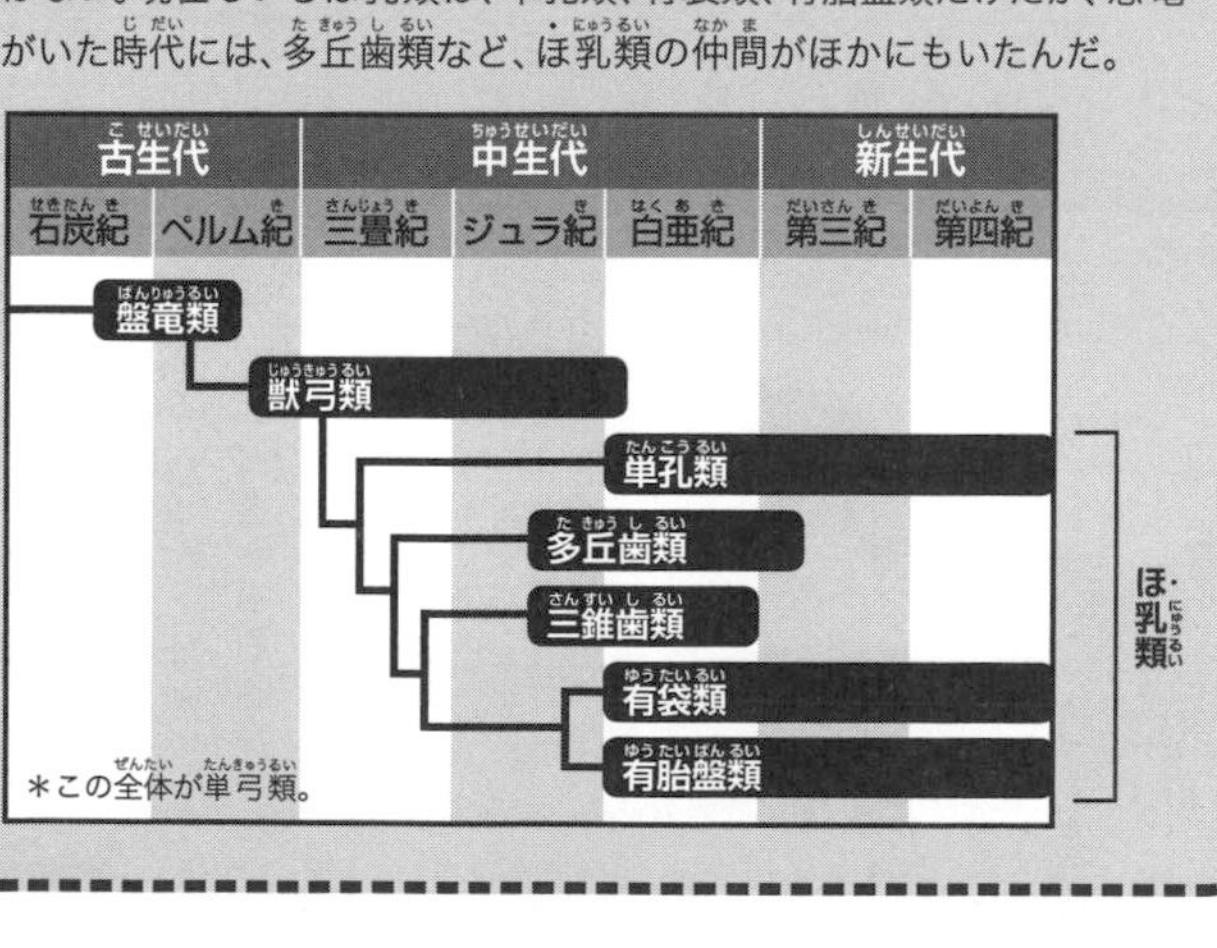
古生代《こせいだい》
中生代《ちゅうせいだい》
新生代《しんせいだい》
石炭紀《せきたんき》
ペルム紀《き》
三畳紀《さんじょうき》
ジュラ紀《き》
白亜紀《はくあき》
第三紀《だいさんき》
第四紀《だいよんき》
盤竜類《ばんりゅうるい》
獣弓類《じゅうきゅうるい》
単孔類《たんこうるい》
多丘歯類《たきゅうしるい》
三錐歯類《さんすいしるい》
有袋類《ゆうたいるい》
有胎盤類《ゆうたいばんるい》
ほ乳類《にゅうるい》
＊この全体《ぜんたい》が単弓類《たんきゅうるい》。

## は虫類《ちゅうるい》より耳《みみ》と脳《のう》が発達《はったつ》！ほ乳類《にゅうるい》は暗《くら》やみでも動《うご》き回《まわ》れた

登場《とうじょう》したてのほ乳類《にゅうるい》は、体《からだ》は小《ちい》さかったけれど、恐竜《きょうりゅう》や大型《おおがた》のは虫類《ちゅうるい》などにはないすぐれた特徴《とくちょう》があった。それが耳《みみ》と脳《のう》。

は虫類《ちゅうるい》は、音《おと》を聞《き》くのにあごの骨《ほね》を使《つか》うけれど、ほ乳《にゅう》類《るい》にはあごの骨《ほね》から分《わ》かれた耳《みみ》の骨《ほね》ができ、耳《みみ》がよくなった。脳《のう》も大《おお》きくなり、恐竜《きょうりゅう》たちが眠《ねむ》っている夜《よる》の地上《ちじょう》で活動《かつどう》できるようになったのかもしれない。

## 体《からだ》が大《おお》きくなり恐竜《きょうりゅう》を食《た》べるほ乳類《にゅうるい》もいた！

少《すこ》し前《まえ》まで、恐竜《きょうりゅう》の時代《じだい》にいたほ乳類《にゅうるい》は体《からだ》が小《ちい》さく、恐竜《きょうりゅう》に見《み》つからないようにこっそり暮《く》らしたと考《かんが》えられてきた。ところが最近《さいきん》では、体《からだ》が1mにもなる当時《とうじ》としては大型《おおがた》のほ乳類《にゅうるい》がいたことがわかり、しかも恐竜《きょうりゅう》の子《こ》どもを食《た》べてしまうことがあったこともわかっている。

巨大《きょだい》な恐竜《きょうりゅう》からくらべれば小《ちい》さいけれど、ほ乳類《にゅうるい》は、恐竜《きょうりゅう》から逃《に》げてばかりいたわけではなかったんだね。

▼プシッタコサウルスの子《こ》を食《た》べるレペノマムス。全長約《ぜんちょうやく》0.5〜1m。白亜紀前期《はくあきぜんき》。

＊実際《じっさい》、恐竜《きょうりゅう》を食《た》べた証拠《しょうこ》が化石《かせき》で見《み》つかっているのは、より小型《こがた》のレペノマムス・ロブストゥス。

イラスト／伊藤丙雄

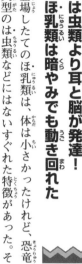

# ほ・乳《にゅう》類《るい》は赤《あか》ちゃんの生《う》み方《かた》に3タイプある？

まちがいなくタマゴだ！
ようし！これをかえしてみせるぞ！

## 卵《たまご》で赤《あか》ちゃんを生《う》む単《たん》孔《こう》類《るい》お腹《なか》の袋《ふくろ》で子《こ》育《そだ》てする有《ゆう》袋《たい》類《るい》

現在《げんざい》、生《い》きているほ・乳《にゅう》類《るい》は、単《たん》孔《こう》類《るい》、有《ゆう》袋《たい》類《るい》、有《ゆう》胎《たい》盤《ばん》類《るい》の3種《しゅ》類《るい》のどれかに分《ぶん》類《るい》される。違《ちが》いは子《こ》どもの生《う》み方《かた》で、恐竜《きょうりゅう》の時《じ》代《だい》にはこの3グループに分《わ》かれていたんだ。

最《さい》初《しょ》に登場《とうじょう》したのが単《たん》孔《こう》類《るい》。これはほ・乳《にゅう》類《るい》なのに、赤《あか》ちゃんではなく卵《たまご》を産《う》む。絶《ぜつ》滅《めつ》したほ・乳《にゅう》類《るい》も含《ふく》めて、最《もっと》も原《げん》始《し》的《てき》なほ・乳《にゅう》類《るい》だ。現《げん》在《ざい》では、カモノハシとハリモグラしか残《のこ》っていない。

【ステロポドン】

▲あごの骨《ほね》の化石《かせき》から単孔類《たんこうるい》とわかった。全長約《ぜんちょうやく》35cm。白亜紀前期《はくあきぜんき》。

イラスト／伊藤丙雄

有《ゆう》袋《たい》類《るい》は、とても未《み》熟《じゅく》な子《こ》どもを生《う》み、大《おお》きくなるまで母《はは》親《おや》の袋《ふくろ》で育《そだ》てるほ・乳《にゅう》類《るい》の仲《なか》間《ま》。みんなも知《し》っているカンガルーやコアラがこのグループに入《はい》る。カンガルーの赤《あか》ちゃんは生《う》まれたときは1～2cmくらいしかないのに、2m近《ちか》くまで大《おお》きくなるんだ。

## お母《かあ》さんのお腹《なか》で子《こ》どもを育《そだ》てる有《ゆう》胎《たい》盤《ばん》類《るい》がついに登場《とうじょう》

有《ゆう》胎《たい》盤《ばん》類《るい》は、母《はは》親《おや》のお腹《なか》である程《てい》度《ど》大《おお》きくなるまで育《そだ》ててから子《こ》どもを生《う》むほ・乳《にゅう》類《るい》の仲《なか》間《ま》。ヒトも有《ゆう》胎《たい》盤《ばん》類《るい》だ。現《げん》在《ざい》、最《もっと》も栄《さか》えているほ・乳《にゅう》類《るい》が有《ゆう》胎《たい》盤《ばん》類《るい》。ある程《てい》度《ど》大《おお》きくなるまで、母《はは》親《おや》がお腹《なか》で子《こ》どもを守《まも》るので、子《こ》どもが育《そだ》つ確《かく》率《りつ》が高《たか》いのが有《ゆう》胎《たい》盤《ばん》類《るい》の強《つよ》みだ。

▼有袋類《ゆうたいるい》。木《き》の上《うえ》で暮《く》らしていたらしい。全長約《ぜんちょうやく》12cm。白亜紀前期《はくあきぜんき》。

【シノデルフィス】

イラスト／伊藤丙雄

特別《とくべつ》コラム

## まだ恐竜《きょうりゅう》がいた時代《じだい》からどんどん種類《しゅるい》が増《ふ》えた有胎盤類《ゆうたいばんるい》

ほ乳類《にゅうるい》の進化《しんか》の研究《けんきゅう》は、最近急激《さいきんきゅうげき》に進《すす》んできた分野《ぶんや》。少《すこ》し前《まえ》まで、ほ乳類《にゅうるい》が、クジラやライオン、サルなどいろいろなグループに分《わ》かれたのは、恐竜《きょうりゅう》が滅《ほろ》んだ後《あと》、6000万年前《まんねんまえ》ぐらいからと考《かんが》えられていた。しかし最近《さいきん》では、化石調査《かせきちょうさ》が進《すす》み、また遺伝子《いでんし》を研究《けんきゅう》することで、まだ恐竜《きょうりゅう》がいた1億年《おくねん》ぐらい前《まえ》から短《みじか》い期間《きかん》の間《あいだ》に、ほ乳類《にゅうるい》のいろいろなグループが現《あらわ》れたことが明《あき》らかになってきた。さらにこれから新《あら》たな発見《はっけん》が期待《きたい》される分野《ぶんや》なんだ。

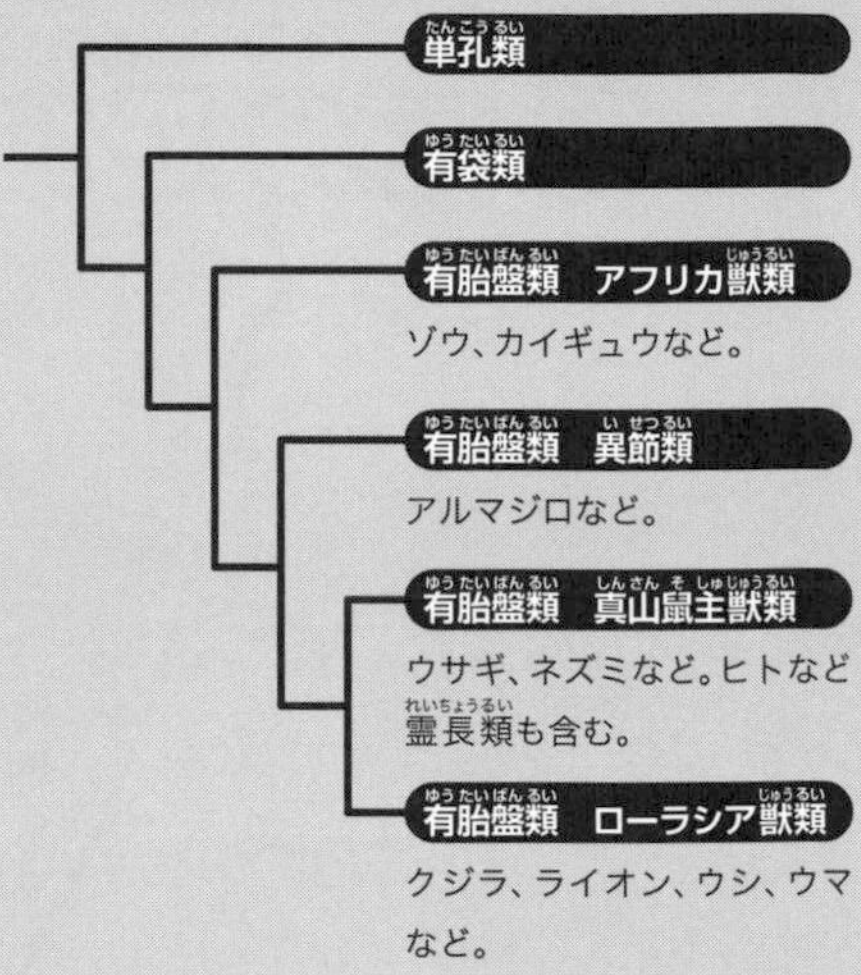
単孔類《たんこうるい》
有袋類《ゆうたいるい》
有胎盤類《ゆうたいばんるい》　アフリカ獣類《じゅうるい》
ゾウ、カイギュウなど。
有胎盤類《ゆうたいばんるい》　異節類《いせつるい》
アルマジロなど。
有胎盤類《ゆうたいばんるい》　真山鼠主獣類《しんさんそしゅじゅうるい》
ウサギ、ネズミなど。ヒトなど霊長類《れいちょうるい》も含む。
有胎盤類《ゆうたいばんるい》　ローラシア獣類《じゅうるい》
クジラ、ライオン、ウシ、ウマなど。

イラスト／伊藤丙雄

特別《とくべつ》コラム

## 胎盤《たいばん》って何《なに》？

胎盤《たいばん》は母親《ははおや》と赤《あか》ちゃんをつなぐもので、子《こ》どもができると母親《ははおや》の子宮《しきゅう》の中《なか》にできる。赤《あか》ちゃんは胎盤《たいばん》を通《とお》して母親《ははおや》から成長《せいちょう》に必要《ひつよう》な栄養《えいよう》などをもらっている。

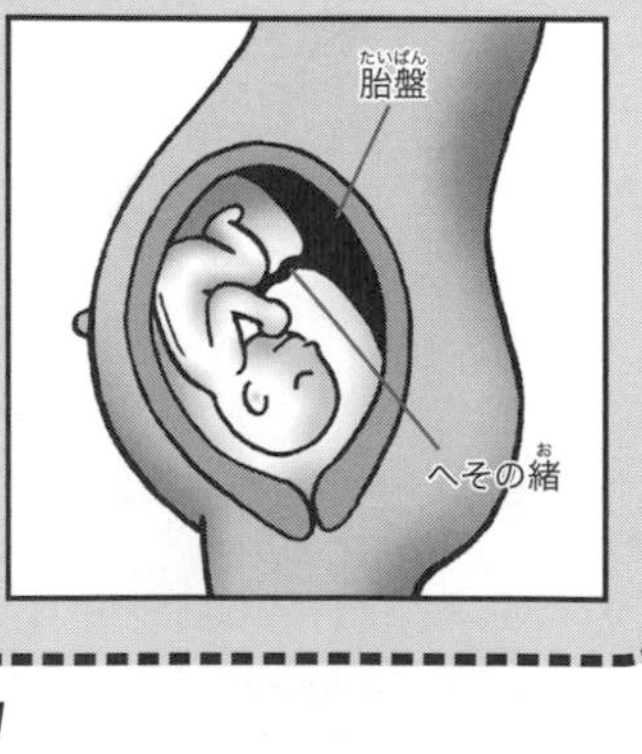
胎盤《たいばん》
へその緒《お》

【キモレステス】

▲胎盤《たいばん》は化石《かせき》に残《のこ》らないが、胎盤《たいばん》を持《も》つ進化段《しんかだん》階《かい》の種《しゅ》と考《かんが》えられる。全長約《ぜんちょうやく》10cm。白亜紀後期《はくあきこうき》。

現在《げんざい》、ほ乳類《にゅうるい》は約《やく》4300種類《しゅるい》が知《し》られているというけれど、そのうち4000種類《しゅるい》が有胎盤類《ゆうたいばんるい》だという。また単孔類《たんこうるい》はオーストラリアなど、有袋類《ゆうたいるい》はオーストラリアや南米《なんべい》などにしかいないのとくらべて、有胎盤類《ゆうたいばんるい》はほぼ世界中《せかいじゅう》で見《み》られる。

# 恐《きょう》竜《りゅう》の足《あし》あと発《はっ》見《けん》

11版
21980号
朝日新聞
発《はっ》見《けん》!!恐《きょう》竜《りゅう》の足《あし》
大《だい》ニュースだ!!
ね! ね! すごいと思《おも》わない? 恐竜《きょうりゅう》の足《あし》あとの化石《かせき》だって。
今《いま》ごろになってさわいでる。
そんなニュース、みんな知《し》ってるよ。
のび太《た》は古《ふる》いなあ。
はじをかいちゃった。
やたらに古新聞《ふるしんぶん》をおいとかないでほしい。

**Q** 恐竜《きょうりゅう》の足《あし》あとは。地面《じめん》がやわらかい水辺《みずべ》だったところにしか残《のこ》らない。本当《ほんとう》？　ウソ？

こんど化石《かせき》がみつかるのは、いつだろう。

そんなこと、わかるもんか。

足《あし》あとが化石《かせき》となって残《のこ》るのは、ひじょうにめずらしいことだからねえ。

こういう大発見《だいはっけん》は、二度《ど》とないんじゃないの。

そ、そんな……。

そうだ!!

「タイムマシン」で、恐竜《きょうりゅう》が生《い》きてた時代《じだい》へいって、足《あし》あとをつけさせて化石《かせき》にして、それを自分《じぶん》でみつけよう。

いこういこう。

ちょっとまった。

せっかく足《あし》あとをつけさせても、そのあと地面《じめん》の底《そこ》深《ふか》くうもれちゃったらみつけられない。

じゃ、どうする？

「年代《ねんだい》そくてい機《き》」

その物《もの》ができてから、何年《なんねん》たつか調《しら》べるの。

A ウソ 足《あし》あとが残《のこ》るかどうかは、上《うえ》に堆積物《たいせきぶつ》がかぶって自然埋葬《しぜんまいそう》されるかどうかで決《き》まる。水分《すいぶん》では決《き》まらない。

Q 恐竜《きょうりゅう》の骨《ほね》と、恐竜《きょうりゅう》の足《あし》あと。日本《にほん》で先《さき》に発見《はっけん》された化石《かせき》はどっち?

「タイムベルト」
ダイヤルを九千万《せんまん》年前《ねんまえ》にあわせて…。
ヒョン
これがあの場所《ばしょ》?
九千万年《せんまんねん》昔《むかし》のね。
あたり一面《いちめん》に「そくせき岩《いわ》のもと」をまく。
ワッ、どろどろになった。
かたまると岩《いわ》になるから、その前《まえ》に足《あし》あとをつけさせよう。

はやく恐竜《きょうりゅう》をみつけないと、
かたまって足《あし》あとがつかなくなる。
いそごう。
さがすと、なかなかいないもんだなあ。
ガオ
だしぬけにでるなんてずるい。
ドカ
ドカ
ところで…、「岩《いわ》のもと」をまいたのはどのへんだったっけ。
ヒャッ

**A** 骨《ほね》 日本《にほん》では1978年《ねん》、初《はじ》めて恐竜《きょうりゅう》の骨《ほね》の化石《かせき》を発見《はっけん》。足《あし》あとは、1985年《ねん》。くわしくは117ページを見《み》よう。

やあ
たいへんだ
「空気砲《くうきほう》」で…。
ボン
ギャオ
恐竜《きょうりゅう》はにげたけど…。
足《あし》あとがつかずに……。
のび太《た》のかたがついちゃった。
めずらしい化石《かせき》が発見《はっけん》されたって。サルがころんだあとみたいって、
九千万年前《せんまんねんまえ》にサルなんかいるわけないと大《おお》さわぎ…。

# この化石《かせき》、まさか男《おとこ》の巨人《きょじん》のアレ？

## 巨人《きょじん》？　それともゾウ？<br>正体《しょうたい》不明《ふめい》の化石《かせき》は誰《だれ》のもの？

まんがのなかでのび太《た》は、新聞《しんぶん》の「恐竜《きょうりゅう》の足《あし》あと発見《はっけん》」の記事《きじ》を見《み》て大《おお》さわぎする。それではここで問題《もんだい》。この記事《きじ》を書《か》いた記者《きしゃ》が、太古《たいこ》の地球《ちきゅう》に恐竜《きょうりゅう》がいたことを知《し》らなかったら、その足《あし》あとを見《み》て、なんと記事《きじ》を書《か》いただろう？

「大男《おおおとこ》の足《あし》あと発見《はっけん》」と書《か》いたかもしれない。

図版提供／富田京一

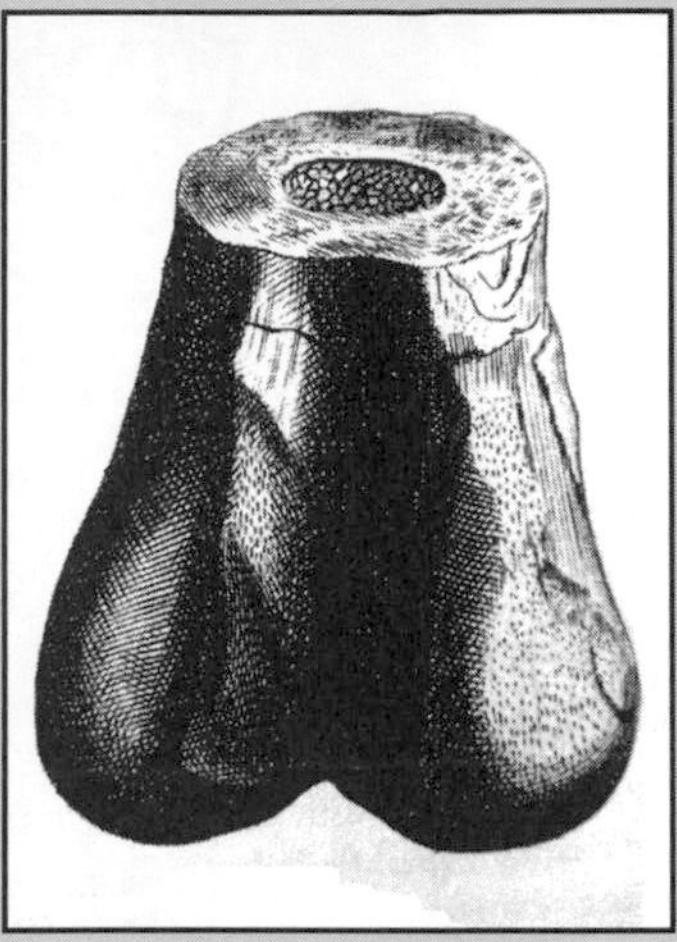

▲メガロサウルスの大《だい》たい骨《こつ》の化石《かせき》。1677年《ねん》には知《し》られていた。このスケッチは江戸時代《えどじだい》の日本《にほん》で紹介《しょうかい》されたもの。

実《じつ》はこれ、本当《ほんとう》にあった話《はなし》。人間《にんげん》が恐竜《きょうりゅう》のことを知《し》ったのは、わずか200年《ねん》ぐらい前《まえ》。上《うえ》は300年《ねん》以《い》上《じょう》昔《むかし》から知《し》られていた恐竜《きょうりゅう》の大《だい》たい骨《こつ》の化石《かせき》のスケッチだけれど、それまで恐竜《きょうりゅう》の存在《そんざい》を知《し》らなかった人《ひと》たちは、これを大男《おおおとこ》の足《あし》の間《あいだ》にある「アレ」の化石《かせき》や、ゾウの骨《ほね》だと考《かんが》えていた。ここでは恐竜《きょうりゅう》の研究《けんきゅう》の歴史《れきし》を見《み》ていこう。

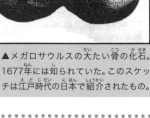

# 初《はじ》めて発見《はっけん》された恐竜《きょうりゅう》は？

## あごの骨《ほね》の形《かたち》から巨大《きょだい》なは虫類《ちゅうるい》だとひらめいた！

前《まえ》のページで紹介《しょうかい》したメガロサウルスの化石《かせき》が、巨人《きょじん》やゾウのものではなく、ほかの未知《みち》の生《い》き物《もの》のものだと気《き》がついた人《ひと》がいる。イギリスの学者《がくしゃ》のバックランドと、フランスの学者《がくしゃ》のキュビエだ。

１８１８年《ねん》、ふたりはメガロサウルスのあごの骨《ほね》を見《み》て、同《おな》じような歯《は》が並《なら》んでいることや、歯《は》の生《は》えかわりのようすなどから、これが巨大《きょだい》なは虫類《ちゅうるい》の化石《かせき》であることに気《き》がついた。そしてバックランドは、１８２４年《ねん》、この未知《みち》の生《い》き物《もの》に、大《おお》きなトカゲという意味《いみ》の「メガロサウルス」という名前《なまえ》をつけて発表《はっぴょう》した。この発表《はっぴょう》で、人々《ひとびと》は、太古《たいこ》の地球《ちきゅう》に巨大《きょだい》なは虫類《ちゅうるい》がすんでいたことを初《はじ》めて知《し》ったんだ。

▲上《うえ》は昔《むかし》の復元《ふくげん》イメージ。一部《いちぶ》の化石《かせき》しか見《み》つからず、は虫類《ちゅうるい》だから4本足《ほんあし》で歩《ある》くと考《かんが》えた。下《した》は現在《げんざい》のもの。

イラスト／桝村太一

## 恐竜《きょうりゅう》第《だい》2号《ごう》は歯《は》の形《かたち》からほ乳類《にゅうるい》だと思《おも》われていた

2番目《ばんめ》に恐竜《きょうりゅう》に名前《なまえ》をつけたのは、イギリスの医師《いし》のマンテル。歯《は》の化石《かせき》を見《み》つけたが、これが植物食恐竜《しょくぶつしょくきょうりゅう》の歯《は》。当時《とうじ》、植物《しょくぶつ》を食《た》べるは虫類《ちゅうるい》はあまり知《し》られておらず、その大《おお》きさからほ乳類《にゅうるい》の化石《かせき》と考《かんが》えられた。

やがて歯《は》がたくさん見《み》つかり、トカゲのイグアナの歯《は》に似《に》ていることから、巨大《きょだい》なは虫《ちゅう》類《るい》と判明《はんめい》。イグアナの歯《は》という意味《いみ》の「イグアノドン」という名前《なまえ》をつけたんだ。

【イグアノドン】

現在《げんざい》の復元《ふくげん》イメージ。昔《むかし》は前《まえ》足《あし》の指《ゆび》を角《つの》だと考《かんが》えていた。

イラスト／桝村太一

## 恐《おそ》ろしいほど大《おお》きいトカゲ「恐竜《きょうりゅう》」の名前《なまえ》が誕生《たんじょう》

メガロサウルスなど、名前《なまえ》がついた恐竜《きょうりゅう》はいたけれど、このころまだ「恐竜《きょうりゅう》」という呼《よ》び方《かた》はなかった。「恐《きょう》竜《りゅう》」という名前《なまえ》は、１８４２年《ねん》、イギリスの学者《がくしゃ》のオーエンが作《つく》ったものだ。オーエンは、恐竜《きょうりゅう》の腰《こし》の骨《ほね》などの特《とく》徴《ちょう》に注目《ちゅうもく》して、ひとつのグループにまとめることを考《かんが》えた。そしてそのグループの名《な》を、恐《おそ》ろしいほど大《おお》きいトカゲという意味《いみ》の「ダイノサウリア」とつけたんだ。

特別《とくべつ》コラム

### 日本語《にほんご》になって「トカゲ」が「竜《りゅう》」に変身《へんしん》!

オーウェンによって「ダイノサウリア」という名前《なまえ》がつけられたけれど、日《に》本《ほん》では、それを、だれが、いつから「恐《きょう》竜《りゅう》」と呼《よ》ぶようになったのかな？

残念《ざんねん》ながら、誰《だれ》がその名前《なまえ》をつけたのかは、はっきりとはわからない。ただし1894年《ねん》に出版《しゅっぱん》された本《ほん》の中《なか》で横山又次《よこやままたじ》郎《ろう》が「恐竜《きょうりゅう》」という言葉《ことば》を使《つか》ったのが現《げん》時点《じてん》では初出《しょしゅつ》で、それ以前《いぜん》に恐竜《きょうりゅう》という言葉《ことば》があったことはわかっている。

また英語《えいご》での意味《いみ》は「恐《おそ》ろしいほど大《おお》きいトカゲ」だけれど、日本語《にほんご》ではトカゲという1文字《もじ》の漢字《かんじ》がないため、「竜《りゅう》」の字《じ》を当《あ》てたといわれているよ。

# 恐竜《きょうりゅう》の化《か》石《せき》はどうやってできた？

## 死《し》んだ恐竜《きょうりゅう》がうもれて骨《ほね》になり 再《ふたた》び地上《ちじょう》に現《あらわ》れる

**①恐竜《きょうりゅう》が死《し》ぬ**

水辺《みずべ》で死《し》んだ恐竜《きょうりゅう》や、川《かわ》で流《なが》されてきた恐竜《きょうりゅう》の死体《したい》が、水《みず》で流《なが》されてきた土砂《どしゃ》などでうもれる。内陸《ないりく》で死《し》んだ恐竜《きょうりゅう》が、火山灰《かざんばい》や砂嵐《すなあらし》でうもれることもある。

**②土《つち》にうもれて骨《ほね》になる**

うもれる間《あいだ》に肉《にく》が食《た》べられたり、内臓《ないぞう》がくさり、骨《ほね》などかたい部分《ぶぶん》だけが残《のこ》る。骨《ほね》には、重《おも》さや熱《ねつ》のため、まわりの土《つち》のなかの成《せい》分《ぶん》がしみ込《こ》み、重《おも》たい石《いし》のような化石《かせき》になる。

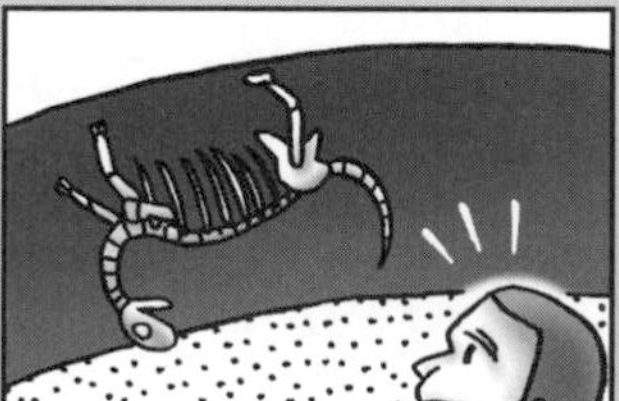

**③地面《じめん》が動《うご》く**

地面《じめん》は、地球内部《ちきゅうないぶ》の活《かつ》動《どう》などによって盛《も》り上《あ》がったり、曲《ま》げられたりする。長《なが》い年月《ねんげつ》の間《あいだ》には、化石《かせき》を含《ふく》んだ地層《ちそう》が地表《ちひょう》の近《ちか》くに現《あらわ》れることもある。

**④化石《かせき》が発見《はっけん》される**

地表近《ちひょうちか》くに化石《かせき》を含《ふく》む地層《ちそう》が現《あらわ》れ、川《かわ》の流《なが》れや風雨《ふうう》で地層《ちそう》がけずられ、化石《かせき》が外《そと》に現《あらわ》れたとき、それが化石《かせき》とわかる人《ひと》が見《み》れば、化石《かせき》発見《はっけん》となる。化石《かせき》発見《はっけん》には、そんな偶然《ぐうぜん》の積《つ》み重《かさ》なり、幸《こう》運《うん》も必要《ひつよう》なんだ。

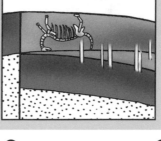

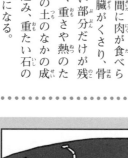

# 発見《はっけん》された恐竜《きょうりゅう》の骨《ほね》はきれいにされ組《く》み立《た》てられる

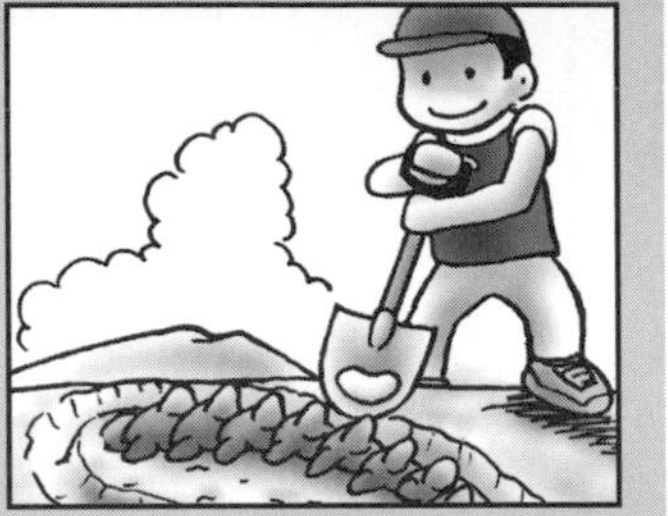

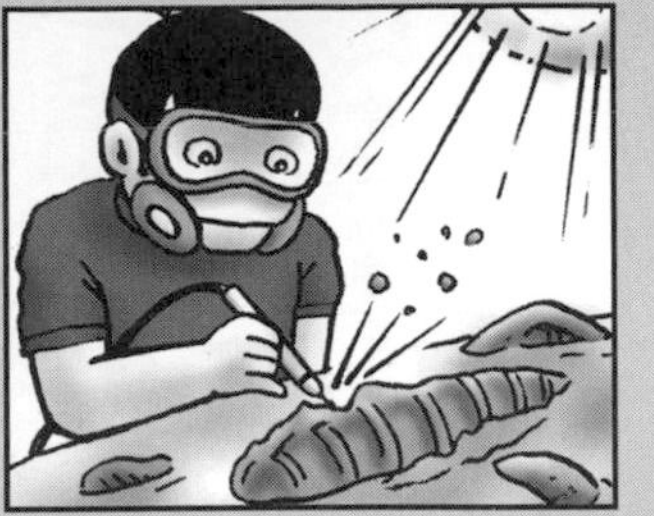

## 1 見《み》つかった骨《ほね》を掘《ほ》り出《だ》す

化石《かせき》を傷《きず》つけないように、人《ひと》がハンマーやスコップで化石《かせき》を掘《ほ》り出《だ》す。発見《はっけん》現場《げんば》では、骨《ほね》のまわりの岩《いわ》ごと掘《ほ》り出《だ》して、こわれないように石《せっ》こうで固《かた》めて、博物館《はくぶつかん》や研究所《けんきゅうじょ》に持《も》ち帰《かえ》り、作業《さぎょう》を続《つづ》ける。

## 2 骨《ほね》から岩《いわ》を取《と》りのぞく

タガネやノミ、歯科医《しかい》が使《つか》うような小《ちい》さなドリルも使《つか》って、化石《かせき》からまわりの岩《いわ》をきれいにけずり取《と》る。この作業《さぎょう》を化石《かせき》のクリーニングというよ。化石《かせき》のクリーニングには、数年《すうねん》かかることもある。

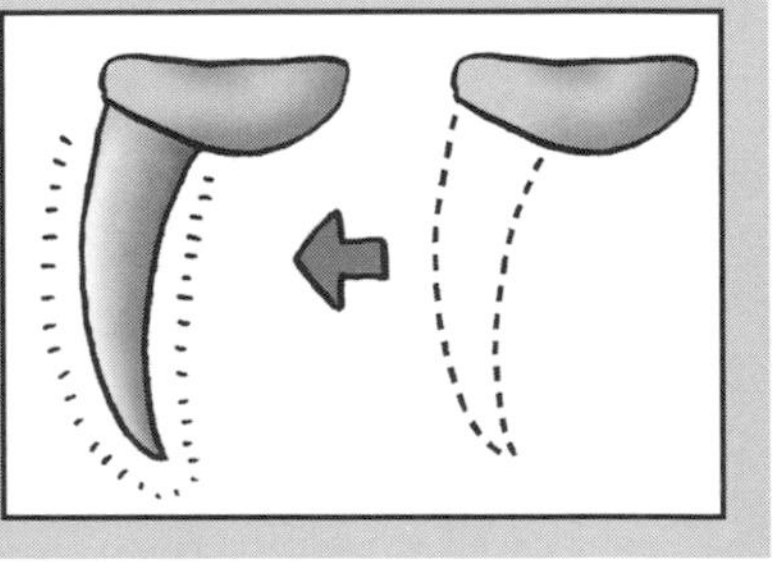

## 3 見《み》つからなかった骨《ほね》を作《つく》る

すべての骨《ほね》が化石《かせき》になって見《み》つかるとはかぎらない。見《み》つからなかった部分《ぶぶん》や欠《か》けた部分《ぶぶん》は、見《み》つかった部分《ぶぶん》や、仲間《なかま》の恐竜《きょうりゅう》の化石《かせき》をもとに、粘土《ねんど》などで作《つく》っておぎない、砕《くだ》けた骨《ほね》は、組《く》み合《あ》わせて元《もと》にもどす。

## 4 レプリカを作《つく》り組《く》み立《た》てる

本物《ほんもの》の化石《かせき》は貴重《きちょう》な研究《けんきゅう》資料《しりょう》だし、重《おも》くて組《く》み立《た》てるのはたいへん。そこでプラスチックなどでレプリカ（複製《ふくせい》）を作《つく》り、骨格標本《こっかくひょうほん》を組《く》み立《た》てる。化石《かせき》が発見《はっけん》されてから骨《こっ》格標本《かくひょうほん》になるまで、多《おお》くの人《ひと》が何年《なんねん》もかけてやっとでき上《あ》がるんだ。

# 恐竜《きょうりゅう》の化石《かせき》からなぜ暮《く》らしがわかる?

## 骨《ほね》の形《かたち》から恐竜《きょうりゅう》の能力《のうりょく》や生活《せいかつ》が見《み》えてくる

化石《かせき》から運動《うんどう》能力《のうりょく》がわかることも。左《ひだり》は、ひざの骨《ほね》から わかる歩《ある》く速度《そくど》。違《ちが》いは、筋肉《きんにく》のけんが通《とお》る骨《ほね》のくぼみだ。上《うえ》はくぼみが大《おお》きいため、激《はげ》しく動《うご》いてもけんがはずれず、速《はや》く歩《ある》ける。下《した》はくぼみが少《すく》なく、激《はげ》しく動《うご》くとけんがはずれるため、ゆっくりとしか歩《ある》けない。

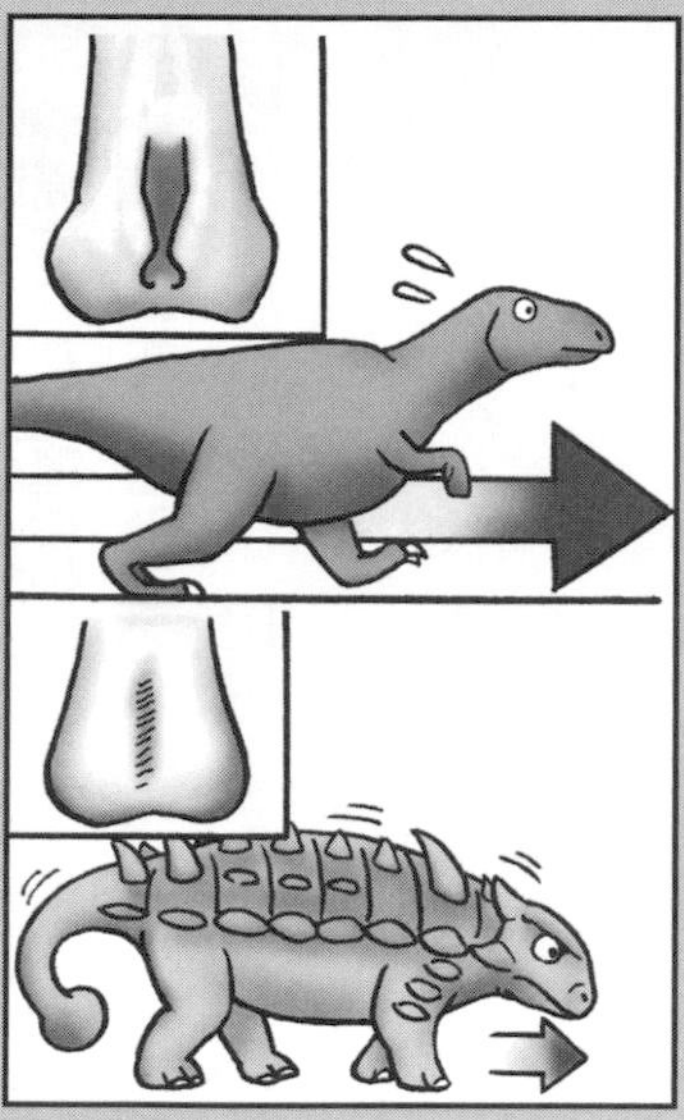

## うろこや羽毛《うもう》も化石《かせき》になり恐竜《きょうりゅう》の姿《すがた》を教《おし》えてくれる

恐竜《きょうりゅう》の内臓《ないぞう》や皮《ひ》ふなど、やわらかい部分《ぶぶん》は化石《かせき》に残《のこ》りにくい。ところがなかには、皮《ひ》ふのあとがしっかりと残《のこ》った足《あし》あとの化石《かせき》や、ミイラ化《か》したため皮《ひ》ふまで化石化《かせきか》したものもある。中国《ちゅうごく》ではとても細《こま》かい火山灰《かざんばい》でうもれたため、羽毛《うもう》のあとが残《のこ》る恐竜《きょうりゅう》の化石《かせき》も見《み》つかった。偶然《ぐうぜん》が積《つ》み重《かさ》なって、恐竜《きょうりゅう》の本当《ほんとう》の姿《すがた》が見《み》えてくるんだ。

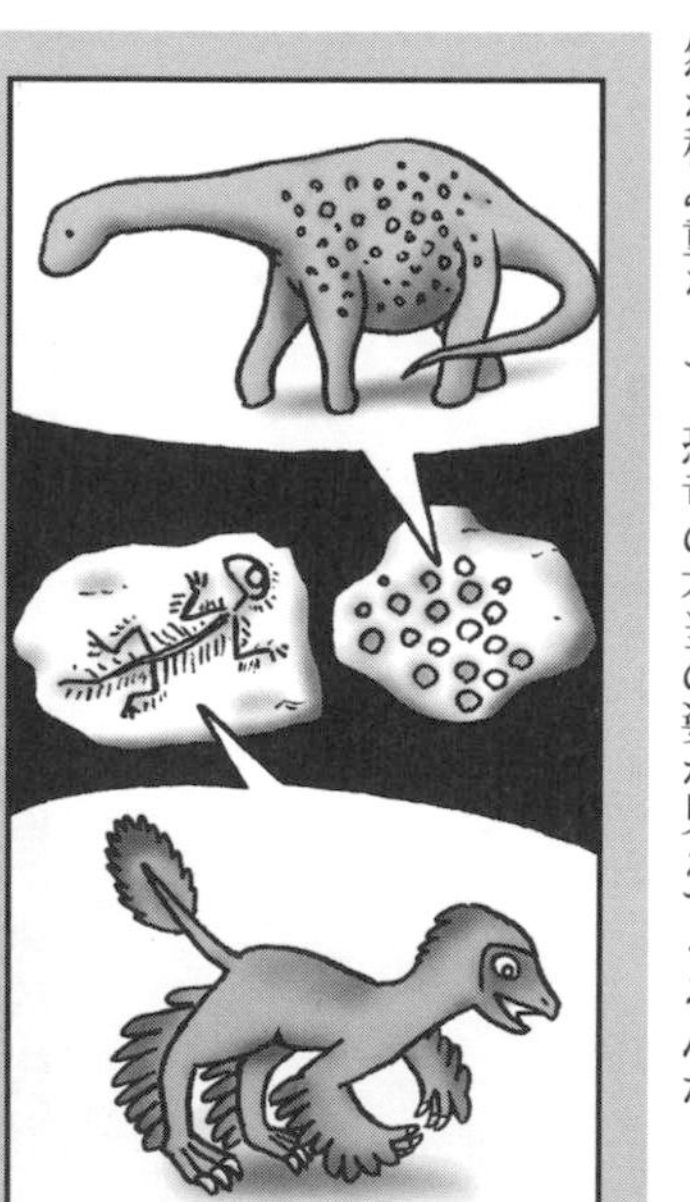

## お腹《なか》のなか、木《き》、うんちの化石《かせき》なども食《た》べ物《もの》を推理《すいり》する材料《ざいりょう》に

恐竜《きょうりゅう》の化石《かせき》のお腹《なか》から、石《いし》や、さらに小《ちい》さな生《い》き物《もの》の化石《かせき》が発見《はっけん》されることがある。お腹《なか》のなかの石《いし》は、植物《しょくぶつ》食恐竜《しょくきょうりゅう》が消化《しょうか》を助《たす》けるために使《つか》ったのではないかと考《かんが》えられるし、お腹《なか》の中《なか》の生《い》き物《もの》が何《なに》かわかれば、なにを狩《か》って食《た》べていたのかがわかってくる。恐竜《きょうりゅう》の化石《かせき》だけでなく、木《き》の化石《かせき》に残《のこ》るかじられたあとや、恐竜《きょうりゅう》のふんの化石《かせき》から、食《た》べ物《もの》がわかることもあるんだ。

## 足《あし》あとからは歩《ある》く速《はや》さや群《む》れの大《おお》きさ研究《けんきゅう》が進《すす》めばさらに!?

恐竜《きょうりゅう》の足《あし》あとから、恐竜《きょうりゅう》の化石《かせき》からはわからないひみつが見《み》つかることもある。たとえば同《おな》じ種類《しゅるい》の恐竜《きょうりゅう》の足《あし》あとが同《おな》じ向《む》きにたくさんついていたら、その恐竜《きょうりゅう》は群《む》れを作《つく》って行動《こうどう》していたらしいと考《かんが》えることができる。足《あし》あとがみんなばらばらなら、単独行動《たんどくこうどう》していたのではないか、なんてね。また足《あし》あとの間隔《かんかく》から、歩《ある》いていたのか、走《はし》っていたのか、走《はし》っていたとすれば時速《じそく》はどれくらいかを推理《すいり》することもできるんだ。

研究《けんきゅう》が進《すす》み、これまでなぞとされてきたテーマにメスが入《はい》ることもある。その代表的《だいひょうてき》な例《れい》が恐竜《きょうりゅう》の体《からだ》の色《いろ》。

これまで、実際《じっさい》の恐竜《きょうりゅう》の色《いろ》はわからないというのが定《てい》説《せつ》だった。ミイラ化《か》して皮《ひ》ふまで残《のこ》った恐竜《きょうりゅう》の化石《かせき》を見《み》ても、長《なが》い年月《ねんげつ》の間《あいだ》に色《いろ》はすっかり失《うしな》われていたからだ。ところが2010年《ねん》、羽毛《うもう》がある恐竜《きょうりゅう》の羽毛《うもう》の表面《ひょうめん》を詳《くわ》しく調《しら》べると、体《からだ》の色《いろ》が推定《すいてい》できるという研究《けんきゅう》が発《はっ》表《ぴょう》されたのだ。もちろん、まだわからないことも多《おお》い。

しかし、恐竜《きょうりゅう》の生《い》きた姿《すがた》を復元《ふくげん》するのは、これを読《よ》んでいるみんななのかもしれないね。

# 日《に》本《ほん》でも恐竜《きょうりゅう》の化石《かせき》が見《み》つかるの？

これがそのツメの化石《かせき》だ。

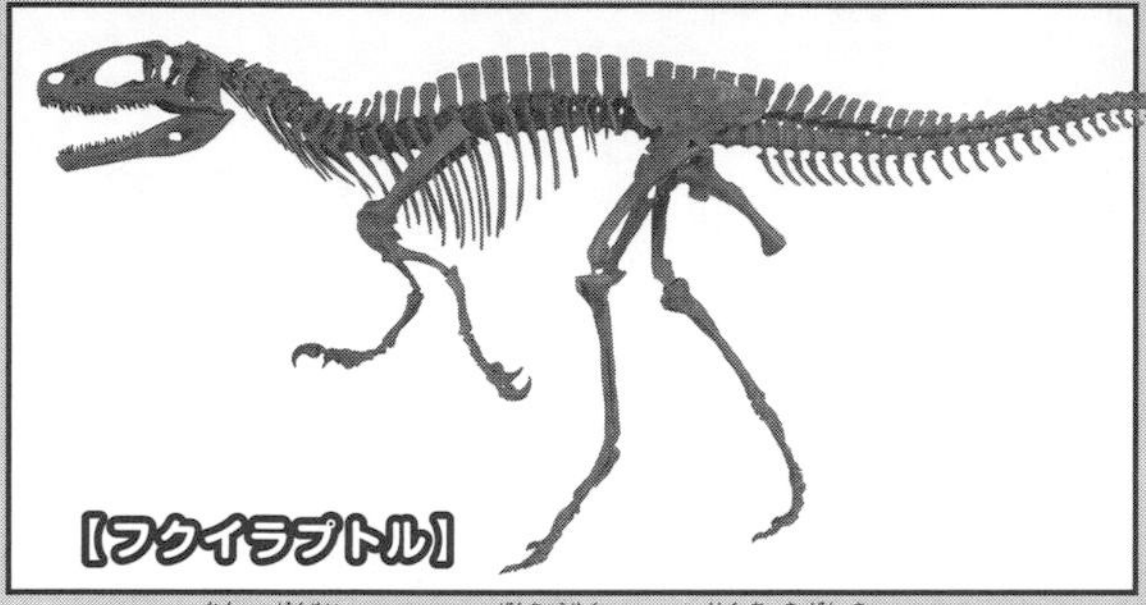
【フクイラプトル】

▲2000年《ねん》に学名《がくめい》がついた。全長約《ぜんちょうやく》4.2m。白亜紀前期《はくあきぜんき》。

写真／福井県立恐竜博物館

## 1道《どう》16県《けん》で恐竜《きょうりゅう》の化石《かせき》を発見《はっけん》 学名《がくめい》のついた恐竜《きょうりゅう》も2頭《とう》いる

少《すこ》し話《はなし》が飛《と》ぶけれど、日本列島《にほんれっとう》は、火山《かざん》岩《がん》と海《うみ》でたい積《せき》した海《かい》成層《せいそう》が地表面《ちひょうめん》の大半《たいはん》を占《し》めている。これが、日本《にほん》では恐竜《きょうりゅう》など大型《おおがた》は虫類《ちゅうるい》の化石《かせき》など見《み》つからないと考《かんが》えられてきた大《おお》きな理由《りゆう》。

ところが日本《にほん》でも、一部《いちぶ》に中生代《ちゅうせいだい》の地層《ちそう》が見《み》えている部分《ぶぶん》がある。そこで恐竜《きょうりゅう》の化石《かせき》が発見《はっけん》されて状況《じょうきょう》が大《おお》きく変《か》わった。

**特別《とくべつ》コラム**

### ニッポンの名《な》がついた恐竜《きょうりゅう》がいるって本当《ほんとう》？

1934年《ねん》、北海道《ほっかいどう》の北《きた》にあるサハリン島《とう》で、恐竜《きょうりゅう》の化石《かせき》が見《み》つかった。サハリン島《とう》は今《いま》はロシアの領土《りょうど》だけれど、発見当時《はっけんとうじ》は日本《にほん》の領土《りょうど》だったので、「ニッポノサウルス」という名前《なまえ》がついたんだ。

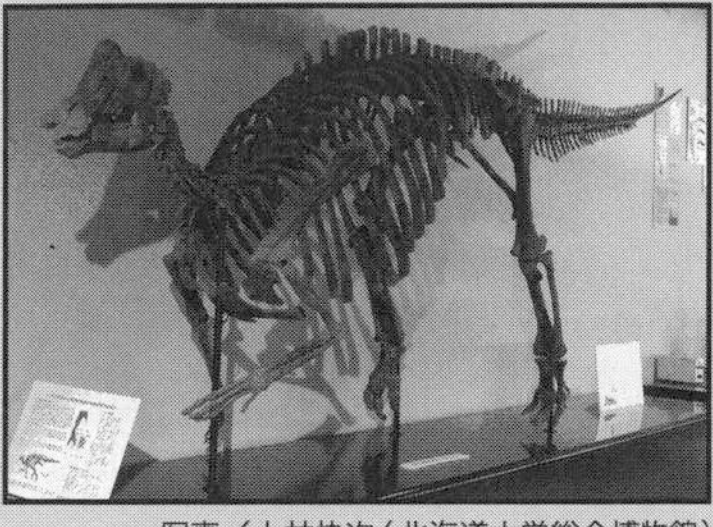

写真／小林快次（北海道大学総合博物館）

日本《にほん》で初《はじ》めて恐竜《きょうりゅう》の化石《かせき》が発見《はっけん》されたのは、1978年《ねん》のこと。岩手県岩泉町《いわてけんいわいずみちょう》で、竜脚類《りゅうきゃくるい》の上腕骨《じょうわんこつ》が発見《はっけん》されたのだ。この恐竜《きょうりゅう》、実《じつ》はなんという恐竜《きょうりゅう》だかわかっていない。見《み》つかった化石《かせき》が少《すく》ないため、特定《とくてい》できないまま「モシリュウ」というニックネームで呼《よ》ばれている。でもこの発見《はっけん》は、「日本《にほん》でも恐竜《きょうりゅう》の化石《かせき》が見《み》つかる！」という

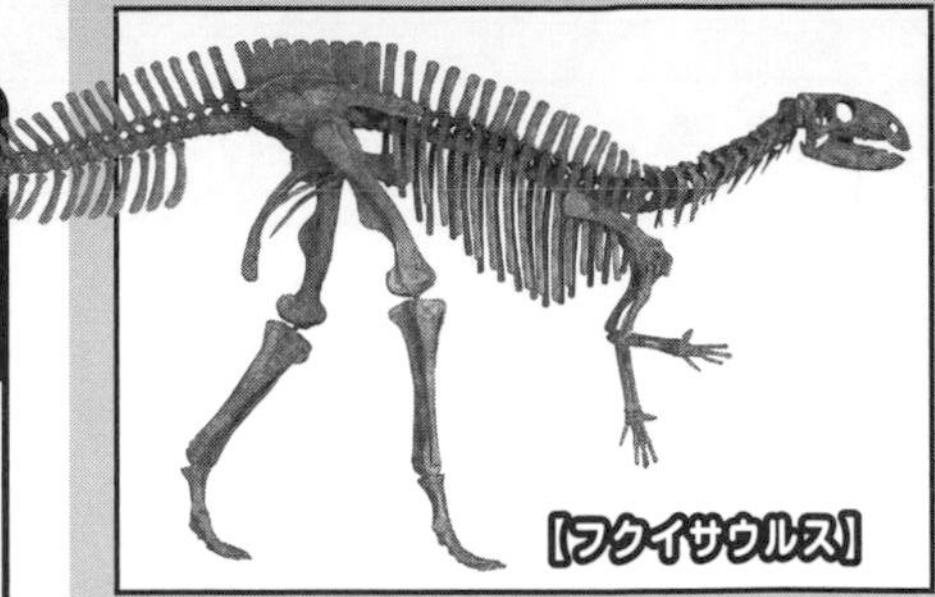


▲2003年学名《ねんがくめい》がついた。全長約《ぜんちょうやく》5m。白亜紀前期《はくあきぜんき》。

写真／福井県立恐竜博物館

希望《きぼう》を与《あた》えてくれた。

現在《げんざい》、恐竜《きょうりゅう》だけでみると1道《どう》16県《けん》で化石《かせき》が発見《はっけん》されている。新種《しんしゅ》の恐竜《きょうりゅう》として、「フクイラプトル」「フクイサウルス」「アルバロフォサウルス」「フクイティタン」という日《に》本《ほん》の地名《ちめい》が学名《がくめい》についた恐竜《きょうりゅう》も登場《とうじょう》したんだ。

## フタバスズキリュウなど首長竜《しゅちょうりゅう》や魚竜《ぎょりゅう》の化石《かせき》も見《み》つかっている

恐竜《きょうりゅう》の時代《じだい》の大型《おおがた》は虫類《ちゅうるい》まで広《ひろ》げて考《かんが》えれば、モシリュウの発見以前《はっけんいぜん》にも、首長竜《しゅちょうりゅう》のフタバサウルスのほか、魚竜《ぎょりゅう》や海生《かいせい》は虫類《ちゅうるい》の化石《かせき》が発見《はっけん》されている。日本《にほん》で初《はじ》めて発見《はっけん》された恐竜《きょうりゅう》の時代《じだい》の大型《おおがた》は虫類《ちゅうるい》は、1939年《ねん》、宮城県《みやぎけん》で発見《はっけん》された「イナイリュウ」と呼《よ》ばれる海生《かいせい》は虫類《ちゅうるい》。ところが、この化石《かせき》はなんとゆくえ不明《ふめい》になっている。第二次世界大戦《だいにじせかいたいせん》の間《あいだ》にわからなくなってしまったらしいけれど、びっくりだね。

### 日本《にほん》の主《おも》な恐竜《きょうりゅう》と絶滅《ぜつめつ》は虫類《ちゅうるい》の発見年表《はっけんねんぴょう》

発見年《はっけんねん》、調査開始年《ちょうさかいしねん》／発見地《はっけんち》／発見《はっけん》された化石《かせき》（恐竜以外《きょうりゅういがい》の場合《ばあい》は種類《しゅるい》）

1934年《ねん》●サハリン(当時日本《とうじにほん》の領土《りょうど》)／ニッポノサウルス
1939年《ねん》●宮城県柳津町《みやぎけんやないづちょう》／イナイリュウ(海生《かいせい》は虫類《ちゅうるい》)
1952年《ねん》●宮城県南三陸町《みやぎけんみなみさんりくちょう》／シヅガワギョリュウ(魚竜《ぎょりゅう》)
1966年《ねん》●福井県福井市《ふくいけんふくいし》／テドリリュウ(陸生《りくせい》トカゲ)
1968年《ねん》●福島県《ふくしまけん》いわき市《し》／フタバサウルス(首長竜《くびながりゅう》)
1970年《ねん》●宮城県南三陸町《みやぎけんみなみさんりくちょう》／ウタツギョリュウ(魚竜《ぎょりゅう》)
1976年《ねん》●北海道三笠市《ほっかいどうみかさし》／エゾミカサリュウ(海生《かいせい》は虫類《ちゅうるい》)
1978年《ねん》●岩手県岩泉町《いわてけんいわいずみちょう》／モシリュウの上腕骨《じょうわんこつ》
1979年《ねん》●熊本県御船町《くまもとけんみふねまち》／獣脚類《じゅうきゃくるい》の歯《は》
1981年《ねん》●群馬県神流町《ぐんまけんかんなまち》／オルニトミムス類《るい》のせきつい
1982年《ねん》●石川県白山市《いしかわけんはくさんし》／獣脚類《じゅうきゃくるい》の歯《は》
1985年《ねん》●群馬県神流町《ぐんまけんかんなまち》／恐竜《きょうりゅう》の足《あし》あと
1986年《ねん》●福島県広野町《ふくしまけんひろのまち》／ハドロサウルス類《るい》など
●福島県《ふくしまけん》いわき市《し》／竜脚類《りゅうきゃくるい》の歯《は》
1988年《ねん》●福井県勝山市《ふくいけんかつやまし》／獣脚類《じゅうきゃくるい》の歯《は》
●岐阜県高山市《ぎふけんたかやまし》／鳥脚類《ちょうきゃくるい》
1989年《ねん》●福井県勝山市《ふくいけんかつやまし》／フクイサウルス、フクイラプトルなど
●岐阜県白川村《ぎふけんしらかわむら》／恐竜《きょうりゅう》の足《あし》あと
1990年《ねん》●富山県富山市《とやまけんとやまし》／恐竜《きょうりゅう》の足《あし》あと
●福岡県宮若市《ふくおかけんみやわかし》・北九州市《きたきゅうしゅうし》／獣脚類《じゅうきゃくるい》の歯《は》
1991年《ねん》●北海道小平町《ほっかいどうおびらちょう》／ハドロサウルス類《るい》の骨盤《こつばん》など
1993年《ねん》●山口県下関市《やまぐちけんしものせきし》／恐竜《きょうりゅう》の足《あし》あと
1994年《ねん》●群馬県神流町《ぐんまけんかんなまち》／スピノサウルス類《るい》の歯《は》
●長野県小谷村《ながのけんおたりむら》／恐竜《きょうりゅう》の足《あし》あと
●徳島県勝浦町《とくしまけんかつうらちょう》／イグアノドン類《るい》の歯《は》
1995年《ねん》●北海道夕張市《ほっかいどうゆうばりし》／ノドサウルス類《るい》の頭骨《とうこつ》
●富山県富山市《とやまけんとやまし》／日本最大規模《にほんさいだいきぼ》の恐竜《きょうりゅう》の足《あし》あと
1996年《ねん》●福島県南相馬市《ふくしまけんみなみそうまし》／獣脚類《じゅうきゃくるい》の足《あし》あと
●福井県大野市《ふくいけんおおのし》／ティラノサウルス類《るい》の歯《は》
●三重県鳥羽市《みえけんとばし》／竜脚類《りゅうきゃくるい》
1997年《ねん》●熊本県天草市《くまもとけんあまくさし》／植物食恐竜《しょくぶつしょくきょうりゅう》のすねの骨《ほね》など
1998年《ねん》●石川県白山市《いしかわけんはくさんし》／ヒプシロフォドン類《るい》の頭骨《とうこつ》
2000年《ねん》●北海道中川町《ほっかいどうなかがわちょう》／テリジノサウルス類《るい》のつめ
2004年《ねん》●兵庫県淡路島《ひょうごけんあわじじま》／ハドロサウルス類《るい》の下《した》あごなど
2007年《ねん》●兵庫県篠山市《ひょうごけんささやまし》・丹波市《たんばし》／獣脚類《じゅうきゃくるい》の歯《は》など
2007年《ねん》●和歌山県湯浅町《わかやまけんゆあさちょう》／獣脚類《じゅうきゃくるい》の歯《は》
2009年《ねん》●鹿児島県薩摩川内市《かごしまけんさつませんだいし》／獣脚類《じゅうきゃくるい》の歯《は》など

＊その地域《ちいき》での初《はじ》めての発見《はっけん》を中心《ちゅうしん》に紹介《しょうかい》している。

# 日本《にほん》の主《おも》な恐竜《きょうりゅう》と絶滅《ぜつめつ》は虫類《ちゅうるい》の発見地図《はっけんちず》

❶北海道《ほっかいどう》中川町《なかがわちょう》／テリジノサウルス類《るい》のつめ
❷北海道《ほっかいどう》小平町《おびらちょう》／ハドロサウルス類《るい》の骨盤《こつばん》など
❸北海道《ほっかいどう》三笠市《みかさし》／エゾミカサリュウ(海生《かいせい》は虫類《ちゅうるい》)
❹北海道《ほっかいどう》夕張市《ゆうばりし》／ノドサウルス類《るい》の頭骨《とうこつ》
❺岩手県《いわてけん》岩泉町《いわいずみちょう》／モシリュウの上腕骨《じょうわんこつ》
❻宮城県《みやぎけん》南三陸町《みなみさんりくちょう》／ウタツギョリュウ(魚竜《ぎょりゅう》)
❼宮城県《みやぎけん》南三陸町《みなみさんりくちょう》／シヅガワギョリュウ(魚竜《ぎょりゅう》)
❽宮城県《みやぎけん》柳津町《やないづちょう》／イナイリュウ(海生《かいせい》は虫類《ちゅうるい》)
❾福島県《ふくしまけん》南相馬市《みなみそうまし》／獣脚類《じゅうきゃくるい》の足《あし》あと
❿福島県《ふくしまけん》広野町《ひろのまち》／ハドロサウルス類《るい》など
⓫福島県《ふくしまけん》いわき市《し》／フタバサウルス(首長竜《くびながりゅう》)、竜脚《りゅうきゃく》類《るい》の歯《は》
⓬群馬県《ぐんまけん》神流町《かんなまち》／オルニトミムス類《るい》のせきつい、恐《きょう》竜《りゅう》の足《あし》あとなど
⓭長野県《ながのけん》小谷村《おたりむら》／恐竜《きょうりゅう》の足《あし》あと
⓮富山県《とやまけん》富山市《とやまし》／国内最大級《こくないさいだいきゅう》の恐竜《きょうりゅう》の足《あし》あとなど
⓯石川県《いしかわけん》白山市《はくさんし》／ヒプシロフォドン類《るい》の頭骨《とうこつ》、獣脚《じゅうきゃく》類《るい》の歯《は》など
⓰福井県《ふくいけん》勝山市《かつやまし》／フクイサウルス、フクイラプトル、竜脚類《りゅうきゃくるい》の歯《は》など

⓱福井県《ふくいけん》大野市《おおのし》／ティラノサウルス類《るい》の歯《は》など
⓲福井県《ふくいけん》福井市《ふくいし》／テドリリュウ(陸生《りくせい》トカゲ)
⓳岐阜県《ぎふけん》白川村《しらかわむら》／恐竜《きょうりゅう》の足《あし》あと
⓴岐阜県《ぎふけん》高山市《たかやまし》／鳥脚類《ちょうきゃくるい》など
㉑三重県《みえけん》鳥羽市《とばし》／竜脚類《りゅうきゃくるい》
㉒兵庫県《ひょうごけん》篠山市《ささやまし》・丹波市《たんばし》／獣脚類《じゅうきゃくるい》の歯《は》など
㉓兵庫県《ひょうごけん》淡路島《あわじじま》／ハドロサウルス類《るい》の下《した》あごなど
㉔山口県《やまぐちけん》下関市《しものせきし》／恐竜《きょうりゅう》の足《あし》あと
㉕徳島県《とくしまけん》勝浦町《かつうらちょう》／イグアノドン類《るい》の歯《は》
㉖福岡県《ふくおかけん》宮若市《みやわかし》・北九州市《きたきゅうしゅうし》／獣脚類《じゅうきゃくるい》の歯《は》など
㉗熊本県《くまもとけん》御船町《みふねまち》／獣脚類《じゅうきゃくるい》の歯《は》など
㉘熊本県《くまもとけん》天草市《あまくさし》／植物食恐竜《しょくぶつしょくきょうりゅう》のすねの骨《ほね》など
㉙和歌山県《わかやまけん》湯浅町《ゆあさちょう》／獣脚類《じゅうきゃくるい》の歯《は》
㉚鹿児島県《かごしまけん》薩摩川内市《さつませんだいし》／獣脚類《じゅうきゃくるい》の歯《は》など

# 地《ち》球《きゅう》製《せい》造《ぞう》法《ほう》

Q 生命《せいめい》がいる可能性《かのうせい》を期待《きたい》されている土星《どせい》の衛星《えいせい》はどれ？ ①タイタン ②ディオーネ ③エンケラドス

怪獣仮面《かいじゅうかめん》だぞ！
目《め》を光《ひか》らせ、うでをふって歩《ある》くんだ。
ガー
おれのは宇宙戦車《うちゅうせんしゃ》。
前進《ぜんしん》、後《こう》たい、ミサイル発射《はっしゃ》。
ピッ
ピッ
小学生《しょうがくせい》ともなれば、このていどのプラモはつくらなきゃね。
まっ、そういうことだ。
のび太《た》は、
なにをつくったんだ。
い、いや、ぼくのは……。
見《み》せてったら。
なんだ、こんなの。つばさと胴体《どうたい》をはりつけたら、できあがりじゃないか。
ていどひくい。

A ③エンケラドス　氷《こおり》におおわれた土星《どせい》の衛星《えいせい》で、氷《こおり》の下《した》に液体《えきたい》の水《みず》があると考《かんが》えられ、生命《せいめい》がいるかもしれない天体《てんたい》である。

じ、じつは、今《いま》、すごいのつくりかけてるんだぞ！
世界《せかい》ではじめてという、めずらしい、おもしろい、すごいのをつくってんだぞ！
へえ、ほおんと。
と、いうわけで、すごいのつくらなくちゃならないんだ。
ドラえもん、なんとかしてくれよな。
またそんな……。かってな約束《やくそく》はこまるよ。
未来《みらい》の世界《せかい》には、プラモなんかないの！
こ、こまる！
なんかつくらないと、ぼくはうそついたことになる。
あるじゃない！
プラモじゃないんだけど……。
地球《ちきゅう》セットだよ。

地球儀《ちきゅうぎ》なんか、つくってもおもしろくない。
ちがうよ。ほんとうの地球《ちきゅう》だよ。ちゃんと海《うみ》や陸《りく》があって生物《せいぶつ》もすんでる。
ほんもの？
小《ちい》さいけど、そっくり同《おな》じにできるんだ。
ガス
GAS
ちりA《エー》
ちりB《ビー》
地球《ちきゅう》が、生《う》まれて育《そだ》っていくすがたが、見《み》られるよ。
太陽《たいよう》ランプ
宇宙台紙《うちゅうだいし》
かんさつ鏡《きょう》
宇宙時計《うちゅうどけい》
つくろう！
まず台紙《だいし》をひろげて、その上《うえ》に……、
ちりA《エー》とちりB《ビー》をまき……、
プシュ
ガスをまぜる。
ライトをあてれば、準備《じゅんび》オーケー。
宇宙《うちゅう》時計《どけい》の針《はり》をすすめる。
グルグル

**恐竜《きょうりゅう》と失《うしな》われた動物《どうぶつ》たち Q&A《キューアンドエー》**

**Q** 太陽系外《たいようけいがい》で、水《みず》におおわれた惑星《わくせい》を発見《はっけん》。地球《ちきゅう》からの距離《きょり》は？

①2光年《こうねん》
②20光年《こうねん》
③200光年《こうねん》

地球《ちきゅう》のもとは、宇宙《うちゅう》に浮《う》かんだちりやガスだ。
そのころは、太陽《たいよう》もまだできたばっかりだった。
さあ、これからどんなことがおきるか……。
ほうら、ちりとガスがうずまいて、
かたまりはじめた。
地球《ちきゅう》だ。
すごい！
やけどするぞ。まだ、火《ひ》の玉《たま》なんだ。
生物《せいぶつ》は生《う》まれてないの？
もっと、冷《ひ》えてからだよ。


**A** ②20光年《こうねん》　グリーゼ581gと呼《よ》ばれる惑星《わくせい》。地球《ちきゅう》よりはるかに大量《たいりょう》の水《みず》があり、そのため海《うみ》は深《ふか》く、陸地《りくち》は存在《そんざい》しないようだ。

Q 地球《ちきゅう》には、オゾン層《そう》以外《いがい》にも有害《ゆうがい》な宇宙線《うちゅうせん》から生命《せいめい》を守《まも》っているものがある。本当《ほんとう》？ ウソ？

地球《ちきゅう》をつくってんだぞ、地球《ちきゅう》を！
見《み》せてやるからすぐこい。
地球《ちきゅう》だってよ。
ばっかじゃなかろか。
時間《じかん》をどんどんすすめて。
グルグル
だいぶ冷《ひ》えてきた。のぞいてみよう。
これ、かんさつ鏡《きょう》だよ。
あっ、もう火山《かざん》が活動《かつどう》をはじめてる。
大雨《おおあめ》がふりだしたよ。
こうして海《うみ》ができて、その中《なか》に…。

A 本当《ほんとう》 北極《ほっきょく》と南極《なんきょく》付近《ふきん》から強《つよ》い地磁気《ちじき》が出《で》て、地球《ちきゅう》をおおっている。この磁気圏《じきけん》が宇宙線《うちゅうせん》から生命《せいめい》を守《まも》っているんだ。

ほら、生命《せいめい》がうまれた！
どんどんふえていく。
形《かたち》も、ふくざつになっていくよ。
もうすぐ、植物《しょくぶつ》があらわれるぞ。
おもしろいなあ。
地球《ちきゅう》ができて、40分《ぷん》たった。
宇宙時計《うちゅうどけい》は、1億年《おくねん》につき1分《ぷん》進《すす》むから、40億年《おくねん》たったことになる。だから……、
今《いま》、見《み》えてるのは、ざっと5億年《おくねん》のむかし。古生代《こせいだい》といわれていたころだ。
宇宙時計《うちゅうどけい》を、1億年《おくねん》につき30分《ぷん》まですすめよう。

3億年前《おくねんまえ》。とんでるのはとんぼの先《せん》ぞ。
いろんな動物《どうぶつ》がふえて、にぎやかになってくるぞ。
スネ夫《お》たちなにしてんだ。
はやく見《み》にくればいいのに。
ほんもののそっくりの地球《ちきゅう》だよ。
なに、ねぼけてやがる。
ほんとだぞ。もしうそだったら、首《くび》でもなんでもやるぞ。
とにかく見《み》にこいよ。
あとでな。
そろそろ古生代《こせいだい》がおわって、中生代《ちゅうせいだい》にはいるよ。（※）

**恐竜《きょうりゅう》と失《うしな》われた動物《どうぶつ》たちQ&A《キューアンドエー》**

**Q** 今《いま》から10億年前《おくねんまえ》、地球《ちきゅう》の1日《にち》は何時間《なんじかん》だった？

①10時間《じかん》 ②20時間《じかん》 ③30時間《じかん》

※古生代《こせいだい》・中生代《ちゅうせいだい》……今《いま》からやく6億年前《おくねんまえ》から2億《おく》2千万年前《せんまんねんまえ》までを、古生代《こせいだい》とよびます。それにつづく時代《じだい》を中生代《ちゅうせいだい》とよび、2億《おく》2千万年前《せんまんねんまえ》から7千万年前《せんまんねんまえ》までをさします。

A

②20時間《じかん》　月《つき》の引力《いんりょく》で潮《しお》の満《み》ち引《ひ》きが起《お》こり、この影響《えいきょう》により地球《ちきゅう》の自転速度《じてんそくど》は、少《すこ》しずつ遅《おそ》くなっているんだ。

もうすぐ、恐竜《きょうりゅう》時代《じだい》がはじまるんだ。
こういう世界《せかい》を、じかにこの目《め》で見《み》たいなあ。
じゃ、行《い》ってみるか。
スクリーンをはずして…。
入《はい》ればいいんだ。
ワア

さあ、ここが、きみのつくった地球《ちきゅう》の上《うえ》だ。
こ、これぜんぶ、ぼくがつくったの？
この木《き》も、この岩《いわ》も、ぼくがつくったの？
そう、みんな、きみがつくったの。

**恐竜《きょうりゅう》と失《うしな》われた動物《どうぶつ》たちQ&A《キューアンドエー》**

**Q** 原始《げんし》の地球《ちきゅう》では大気《たいき》の主成分《しゅせいぶん》は二酸化炭素《にさんかたんそ》。今《いま》の地球《ちきゅう》では、何《なん》%含《ふく》まれてる？

①0.03%　②0.3%　③3%

**A** ①0.03%　大気中《たいきちゅう》にいちばん多《おお》いのが窒素《ちっそ》で約《やく》78%。酸素《さんそ》約《やく》21%、アルゴン0.93%と続《つづ》き、次《つぎ》が二酸化炭素《にさんかたんそ》。他《ほか》にネオンやヘリウムも含《ふく》まれてるよ。

あの、からすみたいな、こうもりみたいなのも、ぼくがつくったんだね。
そう!
じゃ、つまりぼくは、
この世界《せかい》の神《かみ》さまだ!
ヌゥ
シッ。
フッ
フッ
もうすこしで、見《み》つかるところだった。
かんげきだなあ。こういうけしきをジャイアンたちに見《み》せたら、おどろいてひっくりかえるだろうな。

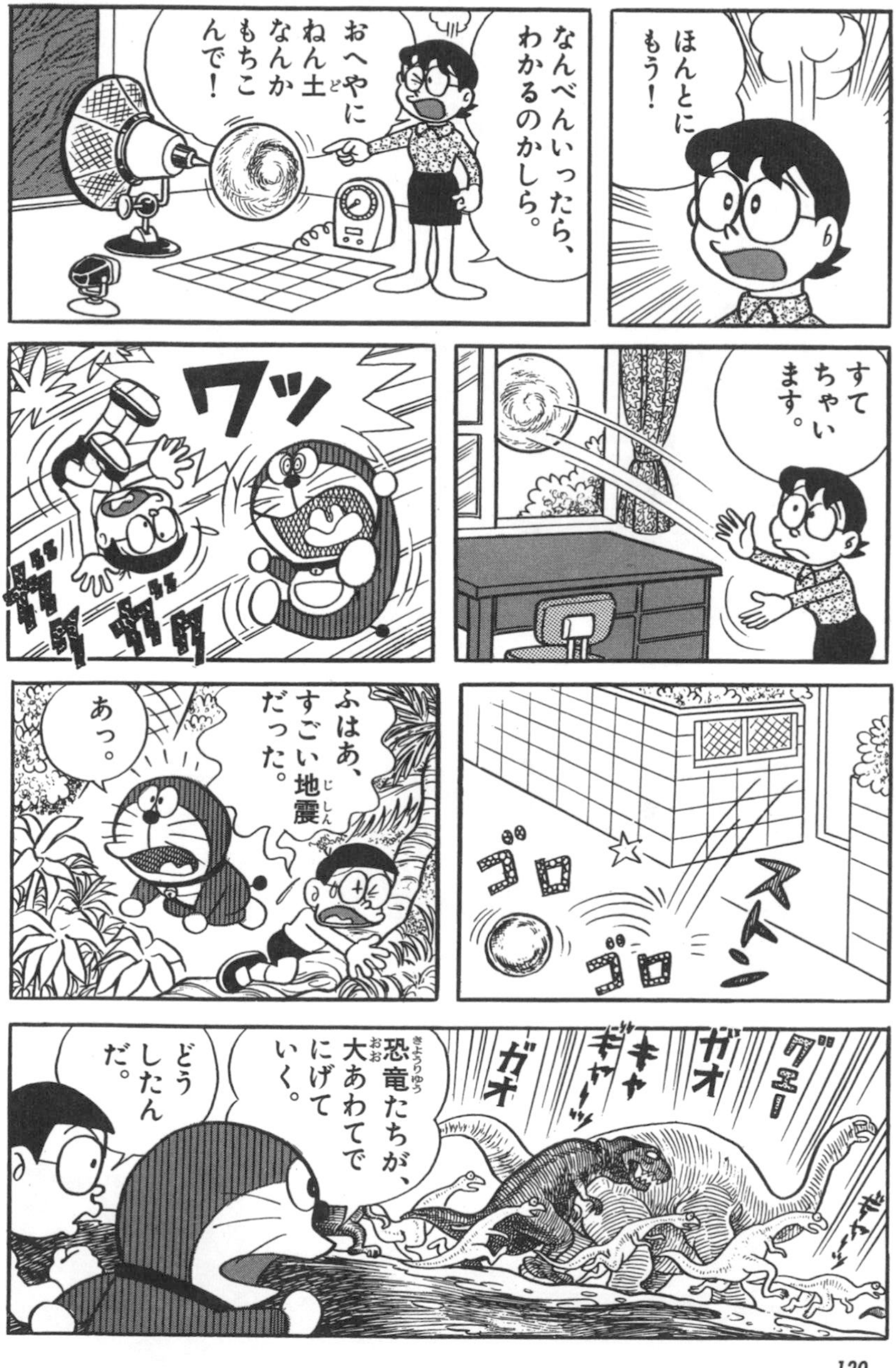


**恐竜《きょうりゅう》と失《うしな》われた動物《どうぶつ》たちQ&A《キューアンドエー》**

**Q** 地球《ちきゅう》にとどく太陽《たいよう》エネルギーのうち、地球《ちきゅう》が吸収《きゅうしゅう》するのはどのくらい？

①約《やく》50％ ②約《やく》70％ ③約《やく》90％

**A** ②約《やく》70％

地面《じめん》や雲《くも》が、約《やく》30％も反射《はんしゃ》する。だから、大気中《たいきちゅう》にちりが増《ふ》えると反射《はんしゃ》されるエネルギー量《りょう》も増《ふ》え、地球《ちきゅう》は冷《ひ》えてしまうんだ。

ゴゴゴゴ
ゴゴゴ
ドオ
地球《ちきゅう》がこわれる！
ガガ
ガガ
ガガ
ガガ
さっきの地震《じしん》のせいだ。すぐ、帰《かえ》ろう。
いそげ。
出口《でぐち》はこっちだ。
あれ？
あれ、あれ。
かんさつ鏡《きょう》の出口《でぐち》がないぞ。
お、おい、出口《でぐち》がないってそれじゃつまりぼくらは…。
帰《かえ》れないってこと。

じょうだんじゃない。
こんなとこへつれてきておいて、帰《かえ》れないなんて、無責任《むせきにん》な！
きてみたいといったのは、きみじゃんか！
ブブウ
ポー

## 恐竜《きょうりゅう》と失《うしな》われた動物《どうぶつ》たちQ&A《キューアンドエー》

**Q** もし南極《なんきょく》の氷河《ひょうが》が全部溶《ぜんぶと》けたら、海水面《かいすいめん》はおおよそ何《なん》m上昇《じょうしょう》する？

①15m

②45m

③65m

A ③65m 南極大陸《なんきょくたいりく》の氷河《ひょうが》は、地球《ちきゅう》すべての氷河《ひょうが》の90%近《ちか》くにもなる。溶《と》けてしまったら陸地《りくち》の面積《めんせき》は激減《げきげん》してしまうのだ。

どろのかたまりになっちゃった。
もし、地球《ちきゅう》をつくってなかったら、
うんといじめてやろう。
スネ夫《お》さんたちが……。
ええっ、もっとはやくくればいいのに。
このねん土《ど》ざいくが地球《ちきゅう》だって？
のび太《た》らしいや。あはは。
なんとでもいってくれ。べんかいする気《き》にもなれない。

# 生命《せいめい》はどのようにして地球《ちきゅう》に誕生《たんじょう》したの？

## 太陽系《たいようけい》でただひとつの水《みず》の惑星《わくせい》・地球《ちきゅう》

命《いのち》のもとになった物質《ぶっしつ》って、なんだろう？　炭素《たんそ》、水素《すいそ》、窒素《ちっそ》…。命《いのち》を形《かたち》づくる元素《げんそ》は全部《ぜんぶ》、この宇宙《うちゅう》ではありふれたものばかり。太陽系《たいようけい》の、どの惑星《わくせい》にもあるものなんだ。

なのになぜ、この地球《ちきゅう》にだけ命《いのち》が満《み》ちあふれているんだろう？　カギは大量《たいりょう》の水《みず》。そう、地球《ちきゅう》には海《うみ》があるからだ。海《うみ》がなければ、命《いのち》のもとになる元素《げんそ》が混《ま》ぜ合《あ》わされることもなく、化学反応《かがくはんのう》を起《お》こして生命《せいめい》が誕生《たんじょう》することもなかっただろう。また海《うみ》なしでは、生《う》まれたばかりの生命体《せいめいたい》が、原始《げんし》の地球《ちきゅう》の苛酷《かこく》な環境《かんきょう》に耐《た》えられたとも思《おも》えない。

それではなぜ、地球《ちきゅう》にだけ海《うみ》があるんだろう？

それは適正《てきせい》な「大《おお》きさ」と「太陽《たいよう》との距離《きょり》」を保《たも》っていた岩石惑星《がんせきわくせい》だったからだ。大気《たいき》を維持《いじ》するだけの大《おお》きさ（重力《じゅうりょく》）がなければ、蒸発《じょうはつ》した水《みず》はやがて宇宙《うちゅう》に逃《に》げてしまう。また太陽《たいよう》から近《ちか》すぎれば、高《たか》い気温《きおん》で結局水《けっきょくみず》は蒸発《じょうはつ》する。逆《ぎゃく》に遠《とお》すぎれば氷《こおり》となって、濃《こ》い大気《たいき》が作《つく》られないんだ。

これらの条件《じょうけん》をすべて満《み》たして、海《うみ》と命《いのち》を生《う》んだ地球《ちきゅう》。ほんと、宇宙《うちゅう》でも希有《けう》な奇跡《きせき》の惑星《わくせい》なのかもしれないね。

### 地球以外《ちきゅういがい》の惑星《わくせい》はどうして水《みず》の惑星《わくせい》になれなかった？

**水星《すいせい》**：太陽《たいよう》に近《ちか》すぎる上《うえ》に、重《おも》さは地球《ちきゅう》の約《やく》18分《ぶん》の１。水蒸気《すいじょうき》はすぐ蒸発《じょうはつ》してしまった。

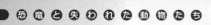

**金星《きんせい》**：大《おお》きさは十分《じゅうぶん》だが、太陽《たいよう》に近《ちか》すぎた。地球《ちきゅう》の約《やく》２倍《ばい》の太陽光《たいようこう》で水蒸気《すいじょうき》は蒸発《じょうはつ》した。



**火星《かせい》**：重《おも》さは地球《ちきゅう》の約《やく》9分《ぶん》の1。太陽《たいよう》からもやや遠《とお》く、水蒸気《すいじょうき》はすぐに冷《ひ》やされ氷《こおり》になった。

**木星型惑星《もくせいがたわくせい》**：重力《じゅうりょく》が大《おお》きすぎるガス惑星《わくせい》では、水素《すいそ》はガスの内側《うちがわ》に閉《と》じ込《こ》められてしまう。

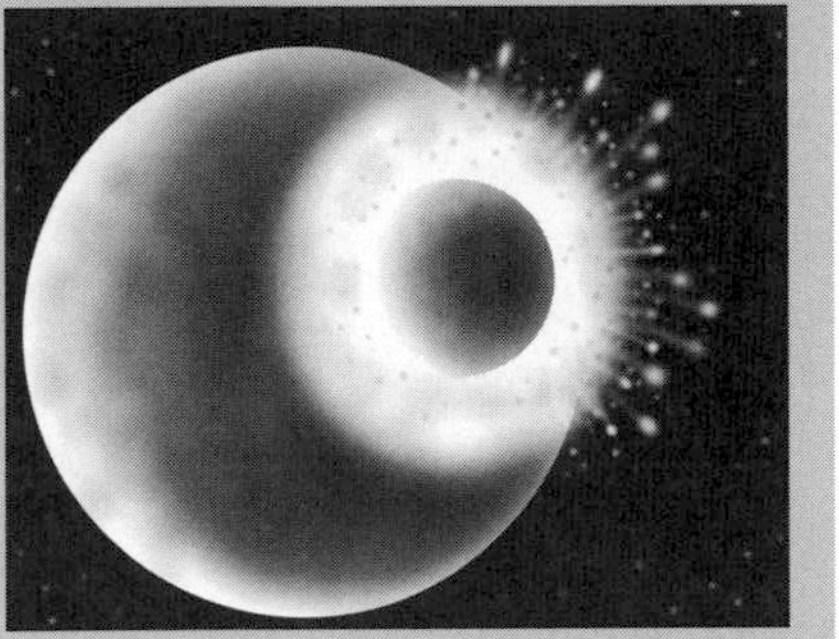

▶ジャイアント・インパクトによって月《つき》や、新《あら》たな化合物《かごうぶつ》が生《う》まれた。

## 生命誕生《せいめいたんじょう》の引《ひ》き金《がね》
## ジャイアント・インパクト

地球《ちきゅう》が誕生《たんじょう》したのは、今《いま》からおよそ46億年前《おくねんまえ》。超新星《ちょうしんせい》爆発《ばくはつ》で宇宙《うちゅう》に飛《と》び散《ち》った無数《むすう》のちりやガスが、お互《たが》いの引力《いんりょく》でぶつかり合《あ》い結《むす》びついて微惑星《びわくせい》となり、さらに衝《しょう》突《とつ》を繰《く》り返《かえ》して惑星《わくせい》へと成長《せいちょう》したんだ。

ところが誕生《たんじょう》から1億年後《おくねんご》、まだマグマのかたまりのようだった地球《ちきゅう》に、とんでもない出来事《できごと》が起《お》きた。

ジャイアント・インパクト。火星《かせい》ほどもある原《げん》始惑星《しわくせい》が、地球《ちきゅう》に衝突《しょうとつ》したのだ。すさまじい衝撃《しょうげき》で宇宙《うちゅう》まで吹《ふ》き飛《と》ばされた岩石《がんせき》はやがて月《つき》になり、残《のこ》ったものは隕石群《いんせきぐん》となって再《ふたた》び地球《ちきゅう》に降《ふ》りそそいだ。もし今《いま》起《お》きたら…。

想像《そうぞう》するだけでも怖《こわ》い出来事《できごと》だけど、実《じつ》はこの

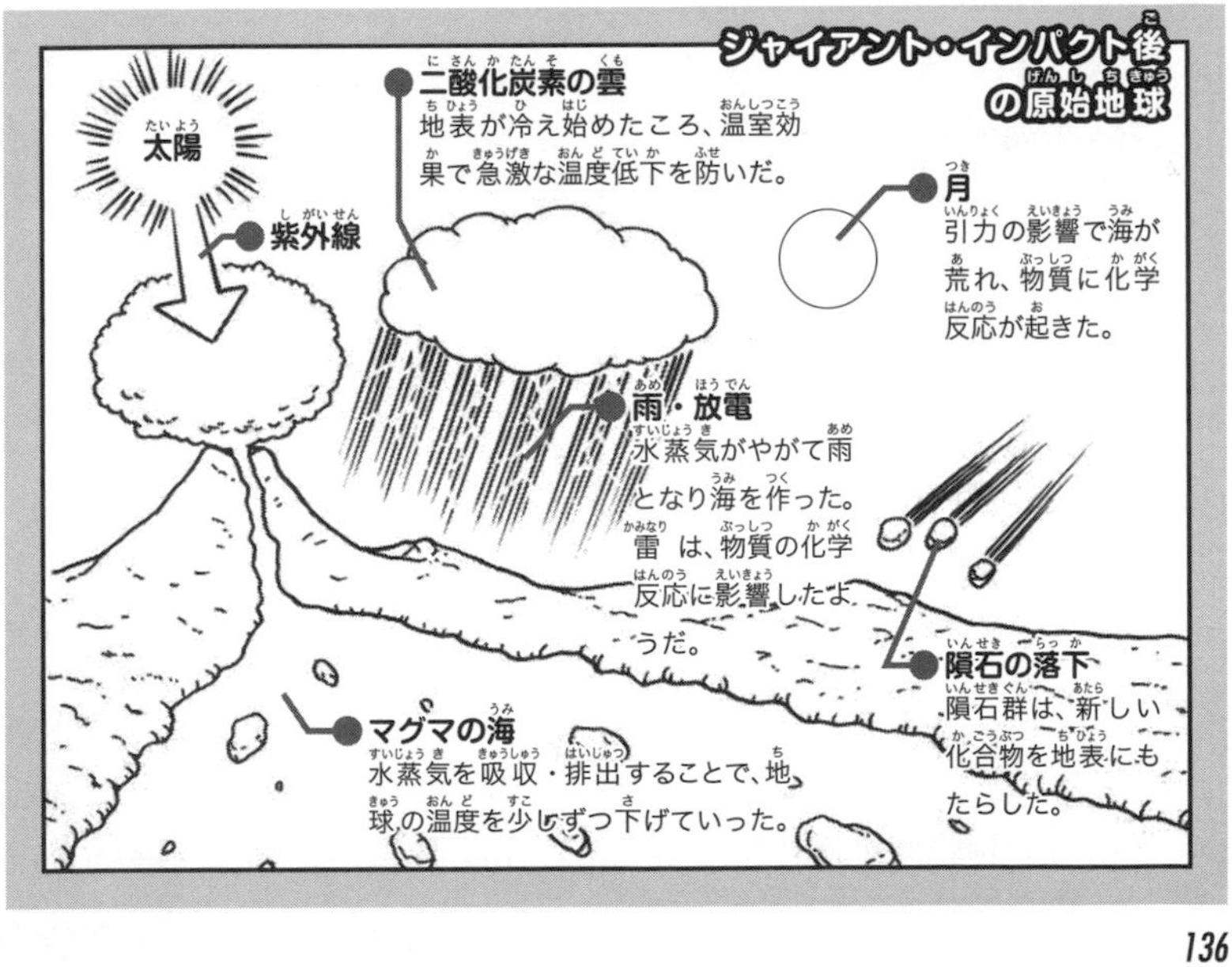
ジャイアント・インパクト後《ご》の原始地球《げんしちきゅう》
太陽《たいよう》
紫外線《しがいせん》
二酸化炭素《にさんかたんそ》の雲《くも》
地表《ちひょう》が冷《ひ》え始《はじ》めたころ、温室効《おんしつこう》
果《か》で急激《きゅうげき》な温度低下《おんどていか》を防《ふせ》いだ。
月《つき》
引力《いんりょく》の影響《えいきょう》で海《うみ》が
荒《あ》れ、物質《ぶっしつ》に化学《かがく》
反応《はんのう》が起《お》きた。
雨《あめ》・放電《ほうでん》
水蒸気《すいじょうき》がやがて雨《あめ》
となり海《うみ》を作《つく》った。
雷《かみなり》は、物質《ぶっしつ》の化学《かがく》
反応《はんのう》に影響《えいきょう》したよ
うだ。
隕石《いんせき》の落下《らっか》
隕石群《いんせきぐん》は、新《あたら》しい
化合物《かごうぶつ》を地表《ちひょう》にも
たらした。
マグマの海《うみ》
水蒸気《すいじょうき》を吸収《きゅうしゅう》・排出《はいしゅつ》することで、地《ち》
球《きゅう》の温度《おんど》を少《すこ》しずつ下《さ》げていった。

ジャイアント・インパクトこそ生命誕生《せいめいたんじょう》の引《ひ》き金《がね》だといわれてるんだ。たとえば隕石群《いんせきぐん》には、ジャイアント・インパクトの衝突《しょうとつ》エネルギーによって生《う》まれた、新《あたら》しい化《か》合物《ごうぶつ》が含《ふく》まれていた。アミノ酸《さん》や炭化水素《たんかすいそ》など、生命《せいめい》には欠《か》かせない化合物《かごうぶつ》だ。また今《いま》よりずっと地球《ちきゅう》に近《ちか》かった月《つき》の引力《いんりょく》によって、海《うみ》が激《はげ》しくかき回《まわ》され、生命誕生《せいめいたんじょう》につながる化学反応《かがくはんのう》が起《お》きたと考《かんが》えられているんだ。

## 38億年前《おくねんまえ》、猛毒《もうどく》の海《うみ》で最初《さいしょ》の生命《せいめい》が生《う》まれた！

マグマのかたまりのようだった地球《ちきゅう》がゆっくりと冷《ひ》えていき、地表温度《ちひょうおんど》が650℃まで下《さ》がったとき、大気中《たいきちゅう》の水蒸気《すいじょうき》がいっせいに雨《あめ》となって地上《ちじょう》に降《ふ》りそそいだ。想像《そうぞう》を絶《ぜっ》するような豪雨《ごうう》。それがどれだけ続《つづ》いたのかはっきりとはわからないが、少《すく》なくとも38億年前《おくねんまえ》には地球《ちきゅう》に海《うみ》ができていたといわれている。

でもそれは、みんなが知《し》っている今《いま》の海《うみ》とはまったく違《ちが》う。海底火山《かいていかざん》からメタンや硫化水素《りゅうかすいそ》が吹《ふ》き出《だ》し、シアン化水素《かすいそ》や青酸《せいさん》カリが溶《と》け込《こ》んだ猛毒《もうどく》の海《うみ》。最初《さいしょ》の生命《せいめい》はそんな恐《おそ》ろしい海《うみ》、それも熱水鉱床《ねっすいこうしょう》と呼《よ》ばれる海底《かいてい》の火山地帯《かざんちたい》で誕生《たんじょう》したと考《かんが》えられている。熱水鉱床《ねっすいこうしょう》とは、マグマだまりに熱《ねっ》せられた海水《かいすい》が海底《かいてい》の裂《さ》け目《め》から吹《ふ》き出《だ》す場所《ばしょ》で、水温《すいおん》は約《やく》400℃。海水《かいすい》には、硫化水素《りゅうかすいそ》や金《きん》属《ぞく》イオンが濃《こ》く含《ふく》まれている。生命誕生《せいめいたんじょう》には、この高熱《こうねつ》水《すい》の循環《じゅんかん》と、硫酸化《りゅうさんか》した鉱物《こうぶつ》のエネルギーが必要《ひつよう》だったらしいんだ。

実際《じっさい》、今《いま》の地球《ちきゅう》の熱水鉱床《ねっすいこうしょう》でも硫化水素《りゅうかすいそ》をエネルギーに変《か》えて活動《かつどう》する原始的《げんしてき》なバクテリアや、そのバクテリアと共生《きょうせい》してエネルギーをもらうチューブワームという管状《かんじょう》の虫《むし》がいることが確認《かくにん》されているんだ。

特別《とくべつ》コラム

### 生命《せいめい》が誕生《たんじょう》する確率《かくりつ》は？

環境《かんきょう》や、素材《そざい》がそろっていても、実際《じっさい》に生命《せいめい》が誕生《たんじょう》するとはかぎらない。一説《いっせつ》では、それは水槽《すいそう》に時計《とけい》の部品《ぶひん》を投《な》げ込《こ》んでかき混《ま》ぜて、時計《とけい》が完成《かんせい》する確率《かくりつ》に等《ひと》しいといわれている。

それってやっぱり奇跡《きせき》ってこと？

# 生《い》き物《もの》が大気《たいき》の酸素《さんそ》を作《つく》ったのは本当《ほんとう》？

## 太陽《たいよう》エネルギーの利用《りよう》！光合成《こうごうせい》する生命体《せいめいたい》の誕生《たんじょう》

38億年前《おくねんまえ》、地球《ちきゅう》に生《う》まれた最初《さいしょ》の生命体《せいめいたい》（自己複製能《じこふくせいのう》力《りょく》を持《も》つ単細胞生物《たんさいぼうせいぶつ》）は、まわりの有機物《ゆうきぶつ》を取《と》り込《こ》んで生《い》きていた。また、わずかに進化《しんか》した生命体《せいめいたい》は、硫化水素《りゅうかすいそ》をエネルギーに選《えら》んだ。しかし、どちらもわずかなエネルギーを頼《たよ》りに、自己増殖《じこぞうしょく》を繰《く》り返《かえ》して太古《たいこ》の海《うみ》を漂《ただよ》うだけの存在《そんざい》だった。

だが35億年前《おくねんまえ》ごろ、生命《せいめい》は最初《さいしょ》の大《おお》きな進化《しんか》をとげることになる。シアノバクテリアの誕生《たんじょう》だ。

このころ、地球《ちきゅう》の環境《かんきょう》は大《おお》きく変《か》わろうとしていた。小《ちい》さかった陸地《りくち》どうしがぶつかり合《あ》い、しだいに大陸《たいりく》へと成長《せいちょう》していったんだ。陸地《りくち》からは大量《たいりょう》のカルシウムやナトリウムが海《うみ》へ流《なが》れ込《こ》み、それによって大気中《たいきちゅう》の二酸《にさん》化炭素《かたんそ》がどんどん海《うみ》に吸収《きゅうしゅう》され始《はじ》めた。その結果《けっか》、二酸《にさん》化炭素《かたんそ》の分厚《ぶあつ》い雲《くも》が薄《うす》くなって太陽《たいよう》の光《ひかり》が強《つよ》く差《さ》し込《こ》むようになった。この太陽光《たいようこう》を利用《りよう》したのがシアノバクテリアだ。シアノバクテリアは、水《みず》と二酸化炭素《にさんかたんそ》と太陽《たいよう》エネルギーを利用《りよう》して、糖分《とうぶん》（エネルギー）を作《つく》り出《だ》し、廃《はい》棄物《きぶつ》として酸素《さんそ》を放出《ほうしゅつ》する。つまり光合成《こうごうせい》する生命体《せいめいたい》だ。

もしシアノバクテリアが生《う》まれなかったら、原始《げんし》の生命《せいめい》体《たい》たちはわずかな食料《しょくりょう》を食《た》べつくし、絶滅《ぜつめつ》していただろう。だから太陽《たいよう》エネルギーを使《つか》った光合成《こうごうせい》は、生命《せいめい》の進《しん》化《か》における「最大《さいだい》の偉業《いぎょう》」といわれているんだよ。

▲バクテリアのすみ分《わ》けを表《あらわ》した図《ず》。最《もっと》も原始的《げんしてき》な硫黄還《いおうかん》元菌《げんきん》は酸素《さんそ》に触《ふ》れると生《い》きられない。硫黄細菌《いおうさいきん》は、硫化水《りゅうかすい》素《そ》で光合成《こうごうせい》するバクテリアだ。

## 光合成《こうごうせい》がもたらした地球環境《ちきゅうかんきょう》の劇的変化《げきてきへんか》

わたしたちが生《い》きていくためには、酸素《さんそ》はいっときも欠《か》かせない。だが、38億年前《おくねんまえ》の地球《ちきゅう》には酸素《さんそ》は存在《そんざい》しなかった。そもそも熱水鉱床《ねっすいこうしょう》で生《う》まれた原始生物《げんしせいぶつ》にとっては、酸素《さんそ》こそ猛毒《もうどく》だったんだ。それが、シアノバクテリアをはじめとする「光合成《こうごうせい》する生命体《せいめいたい》」の登場《とうじょう》によって、地《ち》球環境《きゅうかんきょう》は劇的《げきてき》に変《か》わっていくことになる。

自《みずか》らエネルギーを作《つく》り出《だ》すシアノバクテリアの増殖力《ぞうしょくりょく》は圧倒的《あっとうてき》だ。瞬《また》く間《ま》に、海《かい》底《てい》をおおいつくす勢《いきお》いで生《せい》息域《そくいき》を広《ひろ》げていったようだ(27億年前《おくねんまえ》のオーストラリアの地層《ちそう》からは、なんと40m！ もの高《たか》さのシアノバクテリアの死骸《しがい》の層《そう》が見《み》つかっている)。

これによって、大気《たいき》の主《おも》な成分《せいぶん》だった二酸化炭素《にさんかたんそ》はつぎつぎに吸収《きゅうしゅう》され、かわりに排出《はいしゅつ》された酸素《さんそ》が海水《かいすい》にも大気《たいき》にもあふれ出《だ》した。やがてそれはオゾン層《そう》を作《つく》り出《だ》し、生物《せいぶつ》にとって危険《きけん》な紫外線《しがいせん》を防《ふせ》ぐようになる。それがまた、シアノバクテリアのさらなる大量発生《たいりょうはっせい》を呼《よ》び、積《つ》み重《かさ》なるその死骸《しがい》が地《ち》上《じょう》や海底《かいてい》の土壌《どじょう》を変《か》えていった。一方《いっぽう》、酸素《さんそ》という猛毒《もうどく》に適応《てきおう》できなかった原始生物《げんしせいぶつ》たちは、熱水鉱床《ねっすいこうしょう》など限《かぎ》られたエリアに取《と》り残《のこ》されたのだ。

こうして地球《ちきゅう》の環境《かんきょう》は一変《いっぺん》した。そして、この新《あら》たな環境《かんきょう》が、生物《せいぶつ》をさらなる進化《しんか》へと導《みちび》いていくことになる。

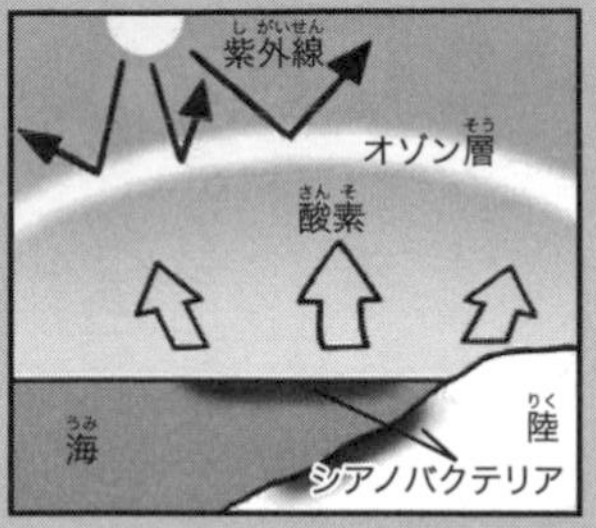
紫外線《しがいせん》
オゾン層《そう》
酸素《さんそ》
海《うみ》
陸《りく》
シアノバクテリア
▶28億年前《おくねんまえ》、シアノバクテリアの大量発生《たいりょうはっせい》が、生物《せいぶつ》の生息域《せいそくいき》を大《おお》きく広《ひろ》げていくことになった。

### 特別《とくべつ》コラム

### シアノバクテリアは史上最《しじょうもっと》も成功《せいこう》した生物《せいぶつ》

生態系《せいたいけい》の頂点《ちょうてん》にいる（？）人類《じんるい》。だが、その歴史《れきし》はわずか15万年《まんねん》だ。あの恐竜《きょうりゅう》だって2億年《おくねん》たらずで絶滅《ぜつめつ》してる。生物《せいぶつ》の目的《もくてき》が遺伝《いでん》子《し》を残《のこ》すことだとしたら、今《いま》も生《い》きるシアノバクテリアこそ生物界《せいぶつかい》の王者《おうじゃ》といえるだろう。

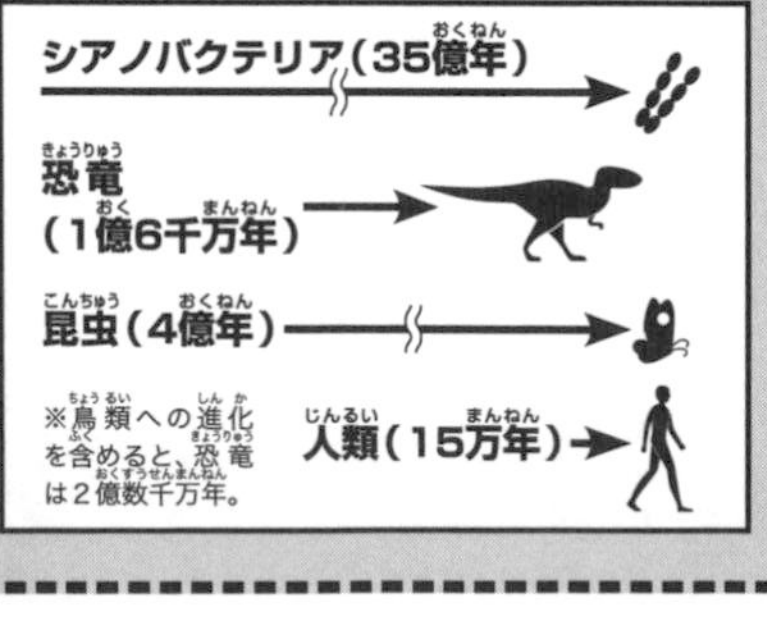
シアノバクテリア(35億年《おくねん》)
恐竜《きょうりゅう》
(1億《おく》6千万年《まんねん》)
昆虫《こんちゅう》(4億年《おくねん》)
人類《じんるい》(15万年《まんねん》)
※鳥類《ちょうるい》への進化《しんか》を含《ふく》めると、恐竜《きょうりゅう》は2億数千万年《おくすうせんまんねん》。

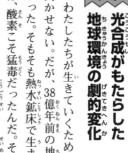

形《かたち》も、ふくざつになっていくよ。

# 原《げん》始《し》地《ち》球《きゅう》で生《せい》物《ぶつ》たちはどのように進《しん》化《か》していった？

## 弱肉強食《じゃくにくきょうしょく》の始《はじ》まり 酸素《さんそ》で活動《かつどう》する生物《せいぶつ》の誕生《たんじょう》

シアノバクテリアが酸素《さんそ》を生《う》み出《だ》したとき、やわらかい膜《まく》しか持《も》たないそのほかのバクテリアは、できるだけこの猛毒《もうどく》から逃《のが》れようとした。逆《ぎゃく》に丈夫《じょうぶ》な殻《から》を持《も》つ一部《いちぶ》のバクテリアは、新《あたら》しい環境《かんきょう》に果敢《かかん》に飛《と》び込《こ》んでいったと考《かんが》えられている。きっと多《おお》くのものが、試行錯誤《しこうさくご》のなかで命《いのち》を落《お》としたに違《ちが》いない。だがやがて、この勇敢《ゆうかん》な開拓者《かいたくしゃ》の中《なか》から適応《てきおう》するもの——体内《たいない》に酸素《さんそ》を取《と》り込《こ》むことに成功《せいこう》した新種《しんしゅ》のバクテリア——が現《あらわ》れた。酸素《さんそ》が生《う》み出《だ》すエネルギーは、硫化水素《りゅうかすいそ》の20倍《ばい》にもなる。新種《しんしゅ》バクテリアは、その膨大《ぼうだい》なエネルギーを運動能力《うんどうのうりょく》の向上《こうじょう》に利用《りよう》した。俊敏《しゅんびん》な動《うご》きでほかのバクテリアを捕食《ほしょく》し、さらなるエネルギーを得《え》る肉食《にくしょく》バクテリアの道《みち》を選《えら》んだのだ。

この瞬間《しゅんかん》、弱肉強食《じゃくにくきょうしょく》の世界《せかい》が始《はじ》まった。苛酷《かこく》な生存競《せいぞんきょう》争《そう》を生《い》き抜《ぬ》くために、生物《せいぶつ》がそれぞれに進化《しんか》の道《みち》を模索《もさく》し始《はじ》めたのだ。肉食《にくしょく》バクテリアに狙《ねら》われた嫌気性《けんきせい》（酸素《さんそ》に適応《てきおう》できない）バクテリアは、まず仲間《なかま》どうしでつながり合《あ》って大《おお》きくなることを選《えら》び、次《つぎ》に新《あたら》しい膜《まく》を作《つく》ることで遺伝子《いでんし》を守《まも》ろうとした。これが核《かく》（細胞《さいぼう》の中心《ちゅうしん》にある遺伝子情報《いでんしじょうほう》がつまった場所《ばしょ》）の誕生《たんじょう》だ。さらなる進《しん》化《か》は、捕食者《ほしょくしゃ》であるはずの肉食《にくしょく》バクテリアを自分《じぶん》の体内《たいない》に取《と》り込《こ》んだことだ。約《やく》8割《わり》もの相手《あいて》の遺伝子《いでんし》を自分《じぶん》の核《かく》に移《うつ》してやるかわりに、肉食《にくしょく》バクテリアからエネルギーをもらうという共生関《きょうせいかん》係《けい》を成立《せいりつ》させたんだ（ちなみに、取《と》り込《こ》んだ肉食《にくしょく》バクテリアをミトコンドリアと呼《よ》ぶよ）。こうして大敵《たいてき》だった酸素《さんそ》に適応《てきおう》し、安定的《あんていてき》なエネルギーを得《え》た嫌気性《けんきせい》バクテリアは、やがて単細胞生物《たんさいぼうせいぶつ》から多細胞生物《たさいぼうせいぶつ》へ大《おお》きく進《しん》化《か》していくことになる。

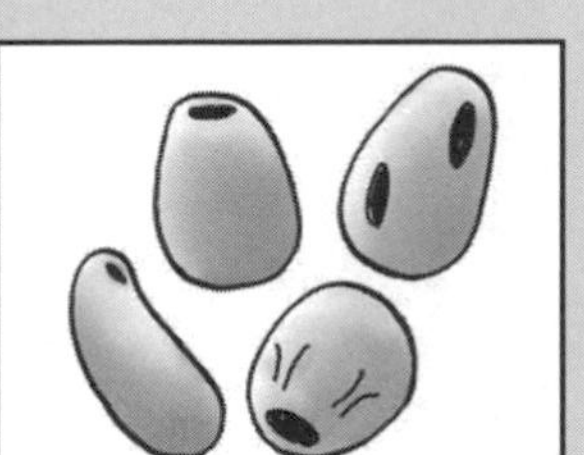
【メラノキュリッリウム】

▶アメーバに似《に》た単細胞生物《たんさいぼうせいぶつ》で、ほかの生物《せいぶつ》を捕食《ほしょく》していた。核《かく》やミトコンドリアを持《も》っているぞ。

## 7億《おく》5000万年前《まんねんまえ》ごろ ついに動物《どうぶつ》が誕生《たんじょう》した！

地球最初《ちきゅうさいしょ》の動物《どうぶつ》は、約《やく》7億《おく》5000万年前《まんねんまえ》に生《う》まれた真核生物《しんかくせいぶつ》だといわれている。核膜《かくまく》やミトコンドリアを持《も》つ単細胞生物《たんさいぼうせいぶつ》だ。生命誕生《せいめいたんじょう》から30億年以上《おくねんいじょう》をかけても、まだ顕微鏡《けんびきょう》がなければ見《み》えない小《ちい》さな存在《そんざい》だったんだ。

だが、ここから動物《どうぶつ》の進化《しんか》は加速《かそく》する。細胞内《さいぼうない》にさまざまな器官《きかん》を持《も》ち、複数《ふくすう》の細胞《さいぼう》が役割《やくわり》を分担《ぶんたん》する多細胞生物《たさいぼうせいぶつ》へ進化《しんか》し、わずか1億《おく》7000万年後《まんねんご》には多様《たよう》な動物《どうぶつ》が出現《しゅつげん》する。エディアカラ動物群《どうぶつぐん》と呼《よ》ばれる生物《せいぶつ》たちだ。動物《どうぶつ》か、植物《しょくぶつ》かはっきりしないものまで含《ふく》めると、その数《かず》は約《やく》30種《しゅ》。現在《げんざい》のどの生物《せいぶつ》につながるのか、それとも無関係《むかんけい》なのかさえわからないなぞの動物群《どうぶつぐん》なんだ。

▲1947年《ねん》、南《みなみ》オーストラリアの5億《おく》8000万年前《まんねんまえ》の地層《ちそう》から、さまざまな動植物《どうしょくぶつ》の化石《かせき》が発見《はっけん》された。

### エディアカラ動物群《どうぶつぐん》の生物《せいぶつ》

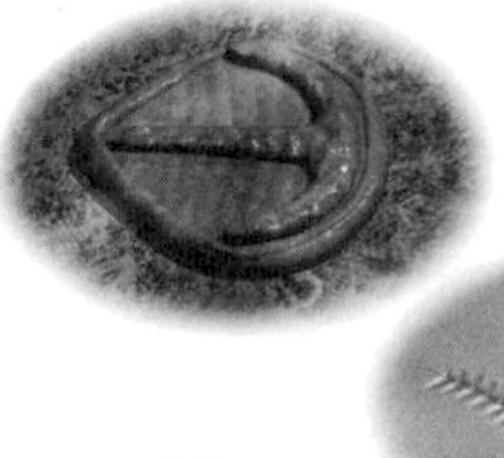

【パルバンコリナ】
▼体長約《たいちょうやく》2.5cm。三葉虫《さんようちゅう》に似《に》ているが、あしを持《も》たない謎《なぞ》の生物《せいぶつ》だ。

【ディッキンソニア】
▼ぺらぺらな生物《せいぶつ》。海底《かいてい》に張《は》りついていた。体長《たいちょう》は最大《さいだい》で60cm。

【カルニオディスクス】
▶体長約《たいちょうやく》1m。球根《きゅうこん》のような部分《ぶぶん》で、海底《かいてい》につき立《た》っていた。

【ホロディスキア】
◀数珠《じゅず》のようにつながった動物《どうぶつ》。ひとつの長《なが》さは最大《さいだい》で1cm。

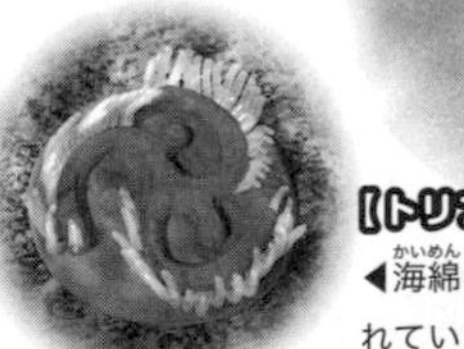

【トリブラキディウム】
◀海綿《かいめん》に似《に》た生物《せいぶつ》だったといわれている。体長《たいちょう》は約《やく》5cmほどだ。

【プテリディニウム】
▶海底《かいてい》をおおう細菌《さいきん》の層《そう》に、半分《はんぶん》もぐっていた。体長《たいちょう》は6cm以上《いじょう》。

イラスト／月本佳代美

# 大《おお》むかし漂《ひょう》流《りゅう》記《き》

わかるわけないだろ！海《うみ》のまん中《なか》に、目《め》じるしがあるわけじゃなし！

救《すく》いの船《ふね》でも、こないかな。

一億《おく》年《ねん》前《まえ》だよ、人間《にんげん》はまだいないんだよ。

もんくばかりいってないで、たすかる方法《ほうほう》を考《かんが》えたらどうだ。

どう考《かんが》えるの。「どこでもドア」も、「タケコプター」もない。

だいたいこんな大冒険《だいぼうけん》するのに、何《なに》ももってこないのが悪《わる》いんだ。

たまにはポケットの大《おお》そうじをしようと、もっている機械《きかい》の半分《はんぶん》ちかくを、修理《しゅうり》にだしたとこだったんだ。

使《つか》えそうなもの、のこってないの？

いちおう、「タイムベルト」はあるけどね。

タイムマシンの一種《しゅ》？

それなら二十世紀《せいき》へ帰《かえ》れるじゃないか。

帰《かえ》れることは帰《かえ》れるけどね…。

帰《かえ》りついた場所《ばしょ》が問題《もんだい》だ。

これは時間《じかん》だけかわって、場所《ばしょ》は動《うご》かないんだ。

それじゃなんにもならない。

こんな小島《こじま》が、二十世紀《せいき》までのこってるわけないだろ。海《うみ》のまん中《なか》で、おぼれるだけだい。

無責任《むせきにん》だよ。ろくな用意《ようい》もなしに、こんなとこへつれてきて。

うるさあい。

そもそものはじまりは、きみだぞ。きみが、あんなこといいださなければ……。

**恐竜《きょうりゅう》と失《うしな》われた動物《どうぶつ》たち Q&A《キューアンドエー》**

**Q** 人間《にんげん》の遠《とお》い祖先《そせん》は、体内《たいない》に骨《ほね》を持《も》つ脊索動物《せきさくどうぶつ》。同《おな》じ祖先《そせん》を持《も》つのは？ ①ホヤ ②ヒトデ ③イソギンチャク

大発見《だいはっけん》！
世界的《せかいてき》ノーベル賞的《しょうてき》大発《だいはっ》見《けん》！
学校《がっこう》のうらのがけで、魚《さかな》と貝《かい》の化石《かせき》を見《み》つけたよ。
めずらしくもない。
化石《かせき》はめずらしくないかもしれないが、
そこからひらめいた思《おも》いつきがすごいんだ。
今《いま》までどんな学者《がくしゃ》も考《かんが》えつかなかった、新《あたら》しい学説《がくせつ》。ノーベル賞《しょう》うたがいなし。
へえ～、ぜひ聞《き》きたいね。
いいかい。見《み》つけた場所《ばしょ》は、海《うみ》から何《なん》十キロもはなれているんだよ。
そこに魚《さかな》や貝《かい》がいたということは……、
はるかな大昔《おおむかし》、魚《さかな》や貝《かい》は陸《りく》の生《い》きものだった！
それが、なぜ今《いま》は海《うみ》にすんでいるか。
それは、きょうみたいにあつい日《ひ》に、海水浴《かいすいよく》かなんかにでかけて…、
あんまり気《き》もちよくて、そのまますみついたという…。

A ①ホヤ　ヒトデは、5本《ほん》の触手《しょくしゅ》を持《も》つ棘皮動物《きょくひどうぶつ》の一種《しゅ》。イソギンチャクは、刺胞動物《しほうどうぶつ》というサンゴなどの仲間《なかま》なんだ。

ウヒャヒャヒャ。
ヒイヒイ。
せっかくだけど、そうじゃない。
昔《むかし》、このへんは海《うみ》だったの！
まさか？
一億年前《おくねんまえ》、日本《にっぽん》は大陸《たいりく》と陸《りく》つづきで…、
関東地方《かんとうちほう》の大部分《だいぶぶん》は海《うみ》の底《そこ》だった。
陸《りく》がういたりしずんだりするかい。
するんだよ。
長《なが》い年月《としつき》の間《あいだ》には…。
じゃあ、行《い》ってみるか。
「タイムマシン」で。
ようし、行《い》こう。
行《い》こう、はるかな昔《むかし》の学校《がっこう》うらへ！
一億年《おくねん》ほどもさかのぼってみるか。
チーン
ついた。ここが、一億年前《おくねんまえ》の学校《がっこう》のうら山《やま》だよ。

Q 5億年前《おくねんまえ》ごろに登場《とうじょう》した原始的《げんしてき》な魚《さかな》が、持《も》っていなかったものは何《なに》？

①尾《お》びれ ②えら ③あご

さあ、はたしてどうなっているか。
！
ゴボ
ゴボ
ゴボ
わあ、海《うみ》の中《なか》だった。
こっち、こっち。
むやみにとびだすからだ。
どんな危険《きけん》があるかもしれない。気《き》をつけてくれ。

A ③あご　あごができる前《まえ》の古代魚《こだいぎょ》は、海水《かいすい》やドロをすすってわずかな栄養分《えいようぶん》を取《と》り込《こ》んでいたんだ。

ほうら見《み》ろ、この時代《じだい》の海岸線《かいがんせん》は、あんな北《きた》の方《ほう》にある。
ほんとだ。
これで、ぼくの新学説《しんがくせつ》もおしまいか。
そうがっかりするなよ。
せっかくきたんだ。
しばらく遊《あそ》んでいこう。
まてよ、帰《かえ》る時《とき》、タイムマシンの入口《いりぐち》はわかるの？
ちゃんとブイをうかべてきたよ。
海《うみ》がしずかできれいでいいね。

**恐竜《きょうりゅう》と失《うしな》われた動物《どうぶつ》たちQ&A《キューアンドエー》**

**Q** 生《い》き物《もの》の頭《あたま》から尻尾《しっぽ》の先《さき》まで測《はか》った長《なが》さをなんというかな？

①全長《ぜんちょう》　②体長《たいちょう》　③体高《たいこう》

**A** ①全長《ぜんちょう》　体長《たいちょう》は、頭《あたま》から尻尾《しっぽ》のつけ根《ね》までの長《なが》さ。体高《たいこう》は、地面《じめん》についた足《あし》から肩《かた》までの高《たか》さのことだよ。

ザッバーーン
さおを はなせ くっ!
い、糸《いと》が うでに からまっ て…!
岸《きし》から どんどん はなれて いく!
帰《かえ》れ なくなっ ちゃうぞ 〜〜っ!
たすけ てえ〜〜〜ぷ
そして 何《なに》かに ぶつかって、 うち上《あ》げ られたのが この小島《こじま》だ。

恐竜《きょうりゅう》と失《うしな》われた動物《どうぶつ》たち Q&A《キューアンドエー》

**Q** 昆虫《こんちゅう》って、一般的《いっぱんてき》なほかの生《い》き物《もの》にくらべて体《からだ》が小《ちい》さいよね。理由《りゆう》があるのかな?

①ある　②ない

**A**

①ある

昆虫《こんちゅう》はかたい殻《から》で身《み》を包《つつ》んでいる外骨格生物《がいこっかくせいぶつ》。外骨格《がいこっかく》はとても重《おも》いので、大《おお》きくなりすぎると体《からだ》を支《ささ》えられなくなるんだ。

あ〜あ、くるんじゃなかった……。
このままうえ死《じ》にしたら…。
一億年後《おくねんご》に化石《かせき》で発見《はっけん》されるかもね。
いっそひと思《おも》いに……。
なんだ、どうしたんだ。
だれかのぞいたんだ。
海《うみ》の中《なか》からすごい目《め》で。

**Q** カンブリア紀《き》の生物《せいぶつ》アノマロカリスは「奇妙《きみょう》な○○」って意味《いみ》。○○は何《なに》？

①イカ　②エビ　③クラゲ

海《うみ》の中《なか》？
き、気《き》もち悪《わる》いこというなよ。
キャッ
ワッ
し、島《しま》が動《うご》いた。
どうも、さっきから気《き》になっていたんだけど……、
ひょっとして、これは島《しま》じゃなくて……、
大昔《おおむかし》の巨大《きょだい》なカメ……。
図鑑《ずかん》で見《み》たことあるよ。
ブロガノケリスとかアーケロンとか……。
…とすると、これは、きょうぼうな肉食《にくしょく》ガメだ！
ゴボ
ゴボ
ザア
わあ〜、くるんじゃなかった。

グァー
待《ま》てっ、あわてるな。

**A** ②エビ　②獲物《えもの》をとらえる触手《しょくしゅ》がエビに似《に》ているため。化石《かせき》が見《み》つかったとき、この触手《しょくしゅ》や口《くち》は別《べつ》の生《い》き物《もの》の化石《かせき》だと思《おも》われていたんだ。

首《くび》が短《みじか》いから、うしろにいれば、とどかないぞ。
ゴボ・・
ゴボ
ゴボ・・・
ザバ
ザバ
カメがもぐった！
アップアップ。

恐竜《きょうりゅう》と失《うしな》われた動物《どうぶつ》たちQ&A《キューアンドエー》

Q 2億《おく》5000万年前《まんねんまえ》、生物《せいぶつ》の大量絶滅《たいりょうぜつめつ》が起《お》きたとき絶滅《ぜつめつ》した種《しゅ》は何《なん》%くらい？

①50% ②70% ③90%

**A** ③90%　このころ北半球《きたはんきゅう》で史上最大級《しじょうさいだいきゅう》のマグマ噴出《ふんしゅつ》があり、灰《はい》とガスでほとんどの生物《せいぶつ》が絶滅《ぜつめつ》したんだ。

あれっ、のび太《た》くんは泳《およ》げなかったはずだけど。
そんなこと、気《き》にしてるばあいかっ！
もうだめだ！
タイムベルト！もとの世界《せかい》へ！
わかった！カメに食《く》われるよりましだ！

ここは、二十世紀《せいき》の海《うみ》の底《そこ》……。
海《うみ》の底《そこ》じゃない。
そうか、一億年《おくねん》の間《あいだ》に……。
わあい、ここはもう陸地《りくち》になってたんだ！
うちの池《いけ》で泳《およ》ぐなっ。

はるかな大昔、魚や貝は謎の生きものだった！

# 不思議《ふしぎ》な生《い》き物《もの》がたくさん現《あらわ》れた時代《じだい》があった？

## わずか30種類《しゅるい》の動物《どうぶつ》が数千万年《すうせんまんねん》で1万種《まんしゅ》に急増《きゅうぞう》した

1909年《ねん》、カナダ・ロッキー山脈《さんみゃく》。「バージェスシェイル」と呼《よ》ばれる5億《おく》3000万年前《まんねんまえ》の地層《ちそう》から、おびただしい数《かず》の化石《かせき》が発見《はっけん》された。今日《こんにち》もなお続《つづ》く発掘《はっくつ》で、見《み》つかった化石《かせき》は10万点《まんてん》に達《たっ》する。そして、この膨大《ぼうだい》な化石《かせき》を研究《けんきゅう》・分析《ぶんせき》した結果《けっか》、カンブリア紀《き》と呼《よ》ばれるこの時代《じだい》、地球《ちきゅう》の海《うみ》には1万種類《まんしゅるい》にもおよぶ動物《どうぶつ》が生息《せいそく》していたことが確認《かくにん》された。

30種類《しゅるい》ほどの動物《どうぶつ》が繁栄《はんえい》したエディアカラ動物群《どうぶつぐん》の時代《じだい》から（生物進化《せいぶつしんか》の歴史《れきし》から見《み》れば）わずか5000万《まん》年《ねん》。そんな短《みじか》い間《あいだ》に、どうして動物《どうぶつ》は爆発的《ばくはつてき》に進化《しんか》し、数《かず》を増《ふ》やしたんだろう？

またカンブリア紀《き》の動物《どうぶつ》は、エディアカラ動物群《どうぶつぐん》とは比較《ひかく》にならないほど活動的《かつどうてき》なデザインだ。SFかホラー映画《えいが》にでも出《で》てきそうなその姿《すがた》は、とても私《わたし》たちと同《おな》じ惑星《わくせい》で生《う》まれたとは思《おも》えないほどユニークで、多種多様《たしゅたよう》だ。それは、なぜなんだろう？

そしてまた、カンブリア紀《き》の多様《たよう》な動物《どうぶつ》のほとんどが、ほんの4000万年《まんねん》ほどで絶滅《ぜつめつ》してしまう。その理《り》由《ゆう》が何《なん》なのかを考《かんが》えてみよう。

カナダ・ロッキー山脈

◀5億《おく》3000万年前《まんねんまえ》。今《いま》のロッキー山脈《さんみゃく》は、赤道近《せきどうちか》くの海底《かいてい》にあった。

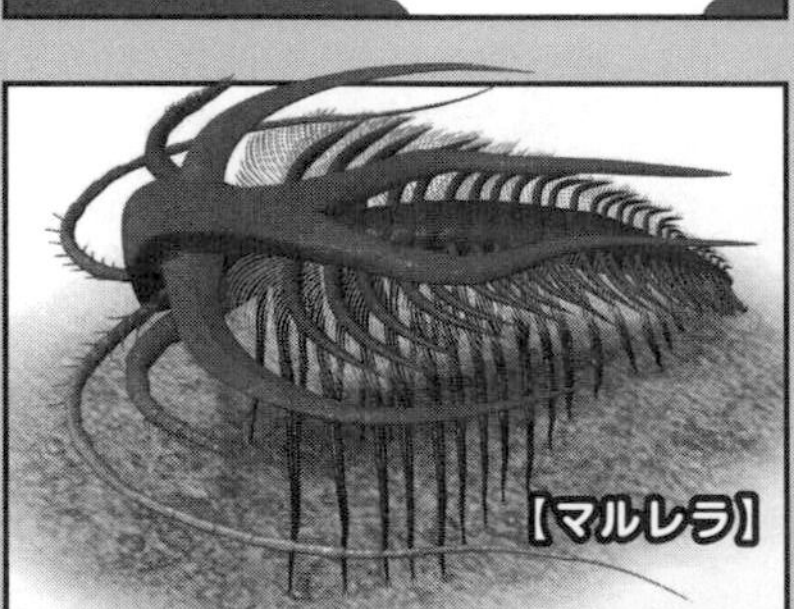
【マルレラ】

◀カンブリア紀《き》を代表《だいひょう》する動《どう》物《ぶつ》の一種《いっしゅ》。まるでエイリアン！

イラスト／月本佳代美

## 捕食《ほしょく》するためのデザイン 身《み》を守《まも》るためのデザイン

カンブリア紀《き》に「進化《しんか》の爆発《ばくはつ》」が起《お》きたことには、いくつかのきっかけが考《かんが》えられる。酸素濃度《さんそのうど》が高《たか》まり生物《せいぶつ》の活動《かつどう》が活発《かっぱつ》になったこと。分裂《ぶんれつ》した大陸《たいりく》から豊富《ほうふ》な養分《ようぶん》が海《うみ》に流《なが》れ込《こ》んだこと。プランクトンと総称《そうしょう》される微生物《びせいぶつ》が大量《たいりょう》に生《う》まれ、エサが豊富《ほうふ》になったことなどだ。

たぶん、これらの理由《りゆう》が重《かさ》なって、動物《どうぶつ》たちは少《すこ》しずつ数《かず》と種類《しゅるい》を増《ふ》やしていったんだろう。だが動物《どうぶつ》が増《ふ》えるということは、それを狙《ねら》う肉食動《にくしょくどう》物《ぶつ》も増《ふ》えるということだ。

狙《ねら》われたものは、身《み》を守《まも》るトゲや殻《から》を望《のぞ》んだに違《ちが》いない。逆《ぎゃく》に捕食《ほしょく》しようとするものは、より大《おお》きな体《からだ》と鋭《するど》い牙《きば》を欲《ほっ》した。またあるものは素早《すばや》

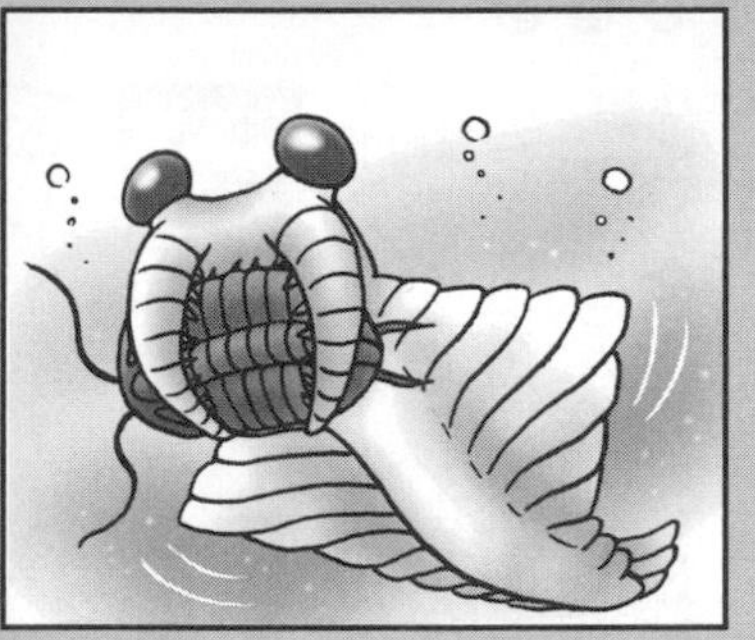

▶アノマロカリスに食《く》いちぎられた三葉虫《さんようちゅう》。カンブリア紀《き》の海《うみ》では、激《はげ》しい生存競争《せいぞんきょうそう》が繰《く》り広《ひろ》げられていた。

### カンブリア紀《き》の代表的《だいひょうてき》な生物《せいぶつ》

【オパビニア】

▲5つの目《め》で、敵《てき》を素早《すばや》く察知《さっち》したと考《かんが》えられている。体長約《たいちょうやく》7cm。

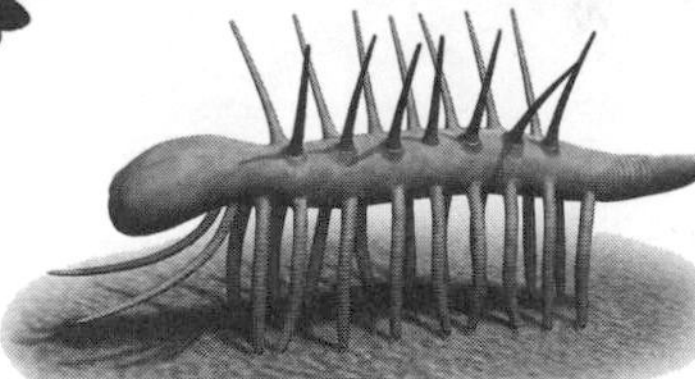

【ハルキゲニア】

◀体長約《たいちょうやく》2・5㎝。化石《かせき》が見《み》つかった当初《とうしょ》は、上下《じょうげ》も前後《ぜんご》もよくわからなかったんだ。

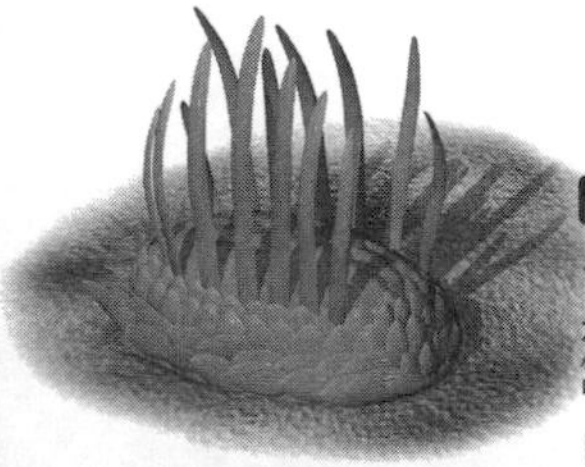

【ウィワクシア】

◀体長約《たいちょうやく》5.5cm。かたいうろこと背中《せなか》に並《なら》んだ2列《れつ》のトゲで身《み》を守《まも》った。

【オレネルス】

◀体長《たいちょう》は約《やく》6cm。大《おお》きな頭《あたま》と小《ちい》さな尾《お》を持《も》つ初期《しょき》の三葉虫《さんようちゅう》だ。

く泳《およ》ぐためのひれを獲得《かくとく》し、別《べつ》のあるものは遠《とお》くを見渡《みわた》す目《め》を手《て》に入《い》れた。動物《どうぶつ》たちが思《おも》い描《えが》いた、それぞれが生《い》き残《のこ》るためのデザイン。「進化《しんか》の爆発《ばくはつ》」は、そういうふうにして起《お》きたのではないだろうか？

だがこれら多様《たよう》な生物《せいぶつ》たちも、オルドビス紀《き》と呼《よ》ばれる次《つぎ》の時代《じだい》にはほとんどが絶滅《ぜつめつ》してしまう。その理由《りゆう》は今《いま》もなぞのままだ。生《い》き残《のこ》ったのは、わたしたちせきつい動物《どうぶつ》の祖先《そせん》ピカイアなど、さらなる進化《しんか》に成功《せいこう》したものだけ。滅《ほろ》びたものたちが選《えら》んだデザインには、どんな問題《もんだい》があったのだろう？

**特別《とくべつ》コラム**

## 種《しゅ》の絶滅《ぜつめつ》は必然《ひつぜん》か偶然《ぐうぜん》か？

古典的《こてんてき》な進化論《しんかろん》によると適者生存《てきしゃせいぞん》、環境《かんきょう》に適応《てきおう》できない種《しゅ》は絶滅《ぜつめつ》するといわれている。だが人類《じんるい》の祖先《そせん》でもあるピカイアは、カンブリア紀《き》で最《もっと》も弱《よわ》い生物《せいぶつ》のひとつだったが、次代《じだい》に種《しゅ》を残《のこ》した。一方《いっぽう》カンブリア紀最強《きさいきょう》のアノマロカリスは、なぞの絶滅《ぜつめつ》をとげている。もしかすると種《しゅ》の繁栄《はんえい》と絶滅《ぜつめつ》を分《わ》けるのはときには偶然《ぐうぜん》や、小《ち》さな運不運《うんふうん》なのかもしれないね。

【ピカイア】

イラスト／月本佳代美

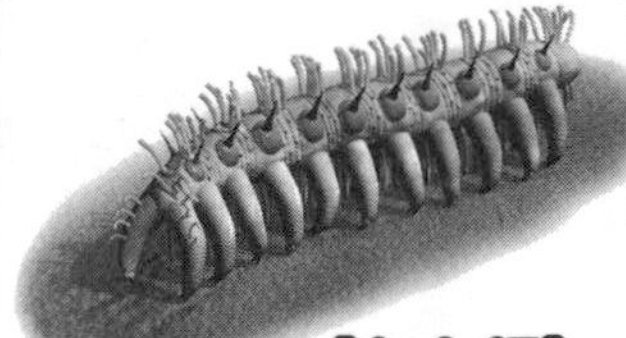

【オニコディクチオン】

◀背中《せなか》をおおうかたい板《いた》と、鋭《するど》いトゲで身《み》を守《まも》っていた。体長《たいちょう》は約《やく》4cm。

【アノマロカリス】

▶体長約《たいちょうやく》1m。カンブリア紀最強《きさいきょう》の肉食動物《にくしょくどうぶつ》で、丸《まる》い口《くち》と鋭《するど》い牙《きば》を持《も》つ。

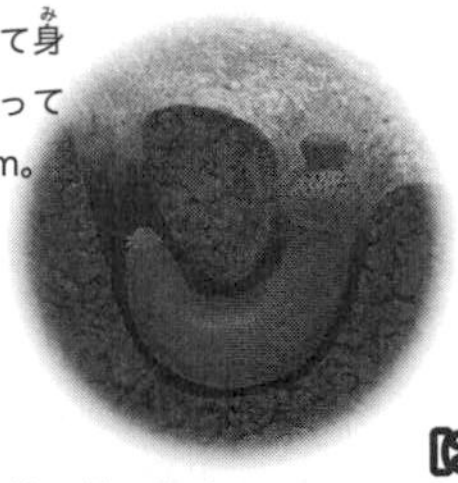

【オットイア】

▶海底《かいてい》に穴《あな》を掘《ほ》って身《み》を隠《かく》し、獲物《えもの》を狙《ねら》っていた。体長約《たいちょうやく》16cm。

【メタルデテス】

◀体長約《たいちょうやく》5cm。貝殻《かいがら》と同《おな》じ成分《せいぶん》でできた、コップのような動物《どうぶつ》だ。

【アイシェアイア】

▲体長約《たいちょうやく》4cm。つめを持《も》つ最古《さいこ》の生物《せいぶつ》で、海綿《かいめん》の上《うえ》で暮《く》らしていた。

イラスト／月本佳代美、山本匠（アノマロカリス）

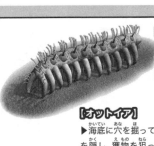

# 生《い》き物《もの》たちはいつ陸上《りくじょう》に進出《しんしゅつ》したの？

## 大陸《たいりく》の激突《げきとつ》！　川《かわ》の誕生《たんじょう》！　そして植物《しょくぶつ》の地上進出《ちじょうしんしゅつ》が始《はじ》まった

カンブリア紀《き》の海《うみ》で「進化《しんか》の爆発《ばくはつ》」が起《お》きても、地上《ちじょう》にはまだ生物《せいぶつ》の姿《すがた》はなかった。豊《ゆた》かな海《うみ》で生《う》まれた生物《せいぶつ》にとって、地上《ちじょう》は生存《せいぞん》には適《てき》していない世界《せかい》だったんだ。だが5億年《おくねん》ほど前《まえ》、異変《いへん》が起《お》きた。大陸《たいりく》どうしがぶつかって、巨大山脈《きょだいさんみゃく》が生《う》まれたのだ。山脈《さんみゃく》にぶつかった雲《くも》は豪雨《ごうう》となり、ついには川《かわ》を誕生《たんじょう》させた。海《うみ》と地上《ちじょう》をつなぐこの川《かわ》こそ、生物《せいぶつ》の地上進出《ちじょうしんしゅつ》のカギ。約《やく》4億《おく》5000万年前《まんねんまえ》にまず植物《しょくぶつ》が、少《すこ》し遅《おく》れて三葉虫《さんようちゅう》などの外骨格生物《がいこっかくせいぶつ》から進化《しんか》した昆虫《こんちゅう》が、川《かわ》を伝《つた》ってつぎつぎと地上《ちじょう》をめざし始《はじ》めたのだ。

▶川《かわ》は、生物《せいぶつ》が地上《ちじょう》に適応《てきおう》するための、格好《かっこう》の訓練場《くんれんじょう》になった。

## 4億《おく》6000万年前《まんねんまえ》ごろ　魚《さかな》たちは海《うみ》の弱者《じゃくしゃ》だった

同《おな》じころ、海《うみ》の王者《おうじゃ》として君臨《くんりん》していたのはオウムガイだ。現在《げんざい》もまだ生《い》き続《つづ》けるこの軟体動物《なんたいどうぶつ》は、頭足類《とうそくるい》と呼《よ》ばれるイカやタコの仲間《なかま》。勢《いきお》いよく水《みず》を吹《ふ》き出《だ》すことで、高速《こうそく》で泳《およ》ぐことができた。一方《いっぽう》ピカイアから進化《しんか》してきたといわれる初期《しょき》の魚《さかな》は、まだ十分《じゅうぶん》なヒレもなく、不安定《ふあんてい》な泳《およ》ぎしかできなかった。オウムガイにとって、魚《さかな》は格好《かっこう》の獲物《えもの》だったのだ。生存競争《せいぞんきょうそう》に敗《やぶ》れた魚《さかな》。そのなかから、やがて海《うみ》を逃《のが》れて川《かわ》をめざすものが現《あらわ》れた。

▼オウムガイの一種《いっしゅ》。体長《たいちょう》15cm。魚《さかな》にとって天敵《てんてき》だった。

【オルソセラス】

▼体長《たいちょう》20cm。最古《さいこ》の魚《さかな》の一種《いっしゅ》で、8つのエラ穴《あな》を持《も》つ。

【アストラスピス】

イラスト／月本佳代美

イラスト／大井忠明

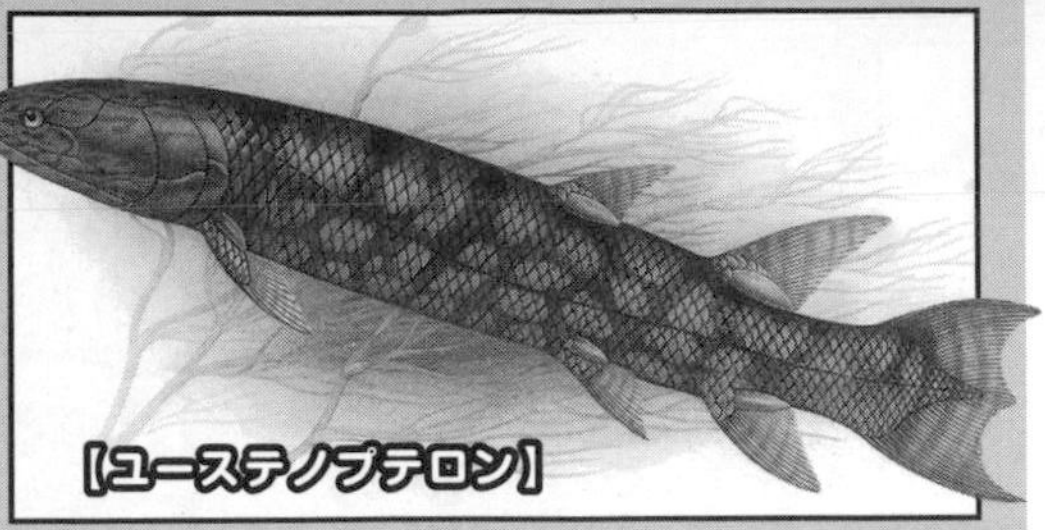


▲約《やく》3億《おく》5000万年前《まんねんまえ》に生息《せいそく》していた体長《たいちょう》1.2mの魚《さかな》。ヒレの内部《ないぶ》に固《かた》い骨《ほね》を持《も》つ。このヒレが、やがて足《あし》に進化《しんか》した。

## 海《うみ》から川《かわ》へ、川《かわ》から陸《りく》へ！1億年《おくねん》をかけた種《しゅ》の進化《しんか》

海《うみ》から川《かわ》への移動《いどう》。それが簡単《かんたん》でないことは、今《いま》の魚《さかな》を見《み》ればわかる。一部《いちぶ》の例外《れいがい》を除《のぞ》いて、海《うみ》の魚《さかな》は川《かわ》では生《い》きられず、川《かわ》の魚《さかな》は海《うみ》には行《い》けない。海水《かいすい》と淡水《たんすい》では、塩分濃度《えんぶんのうど》が違《ちが》うからだ。ナメクジに塩《しお》をかけると溶《と》けてしまうことは知《し》っているよね。水《みず》は、塩分濃度《えんぶんのうど》の高《たか》い方《ほう》へ吸《す》い寄《よ》せられる。ナメクジは塩《しお》に体液《たいえき》をうばわれて死《し》んでしまうんだ。

新天地《しんてんち》をめざした魚《さかな》たちを苦《くる》しめたのは、これとは逆《ぎゃく》の現象《げんしょう》だ。川《かわ》に入《はい》れば、体内《たいない》に流《なが》れ込《こ》む大《たい》量《りょう》の淡水《たんすい》で細胞《さいぼう》を破壊《はかい》されてしまう。だが、河口《かこう》近《ちか》くの海《うみ》で辛抱強《しんぼうづよ》く世代交《せだいこう》替《たい》を重《かさ》ねた魚《さかな》たちの中《なか》から、やがて余分《よぶん》な水《みず》を体《からだ》の外《そと》に排出《はいしゅつ》する器官《きかん》、「腎《じん》臓《ぞう》」を持《も》つものが現《あらわ》れる。川《かわ》に適応《てきおう》した魚《さかな》は次《つぎ》にはヒレを進化《しんか》させ、それを足《あし》に変《か》えた。そして川《かわ》をめざして1億年後《おくねんご》、ついに上《じょう》陸《りく》を果《は》たす。そこで彼《かれ》らが見《み》た世界《せかい》。それは植物《しょくぶつ》が生《お》い繁《しげ》り、食料《しょくりょう》となる昆虫《こんちゅう》が無数《むすう》に飛《と》び、天敵《てんてき》もいない楽園《らくえん》だったのかもしれない。

▼初《はじ》めて上陸《じょうりく》をはたした体長《たいちょう》1mの四肢動物《ししどうぶつ》。地《ち》上《じょう》の重力《じゅうりょく》にたえられる丈夫《じょうぶ》な背骨《せぼね》も持《も》っていた。

イラスト／菊谷詩子

特別《とくべつ》コラム

### 海《うみ》へ還《かえ》るもの さらに先《さき》をめざすもの

上陸《じょうりく》に成功《せいこう》した魚《さかな》たちの子孫《しそん》が、すべて陸上生物《りくじょうせいぶつ》に落《お》ち着《つ》いたわけじゃない。クジラのようにほ乳類《にゅうるい》まで進化《しんか》して、再《ふたた》び海《うみ》に戻《もど》ったものもいる。生物《せいぶつ》としてどちらの選択《せんたく》が正《ただ》しかったのか、その答《こた》えはまだ出《で》ていない。

陸がういたりしずんだりするかい。
するんだよ。
長《なが》い年月《としつき》の間《あいだ》には…。

## プレートにのって移動《いどう》し続《つづ》ける大陸《たいりく》

大陸《たいりく》の移動《いどう》や衝突《しょうとつ》が、生物《せいぶつ》の進化《しんか》に大《おお》きくかかわってきたってことは、もう言《い》ったよね。そう、大陸《たいりく》は動《うご》く！地球《ちきゅう》の大地《だいち》は誕生以来《たんじょういらい》動《うご》き続《つづ》けてきたんだ。地球《ちきゅう》の構造《こうぞう》を知《し》れば、動《うご》く理由《りゆう》がよくわかる。

イラスト／倉本ヒデキ

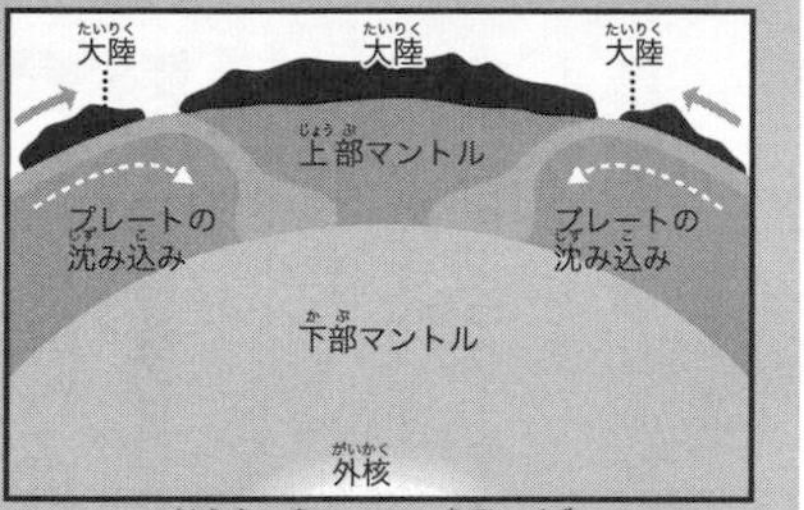
大陸《たいりく》
大陸《たいりく》
大陸《たいりく》
上部《じょうぶ》マントル
プレートの沈《しず》み込《こ》み
プレートの沈《しず》み込《こ》み
下部《かぶ》マントル
外核《がいかく》

▲マントル対流《たいりゅう》に合《あ》わせて、地底《ちてい》に沈《しず》むプレート。プレートに乗《の》った大陸《たいりく》は衝突《しょうとつ》、分離《ぶんり》を繰《く》り返《かえ》す。

地球《ちきゅう》の中心《ちゅうしん》。それは内核《ないかく》と呼《よ》ばれる球体《きゅうたい》で、信《しん》じられないような圧力《あつりょく》と高熱《こうねつ》で鉄《てつ》がギューっと圧縮《あっしゅく》されている。その外側《そとがわ》は外核《がいかく》。内核《ないかく》ほどじゃないけど、やはり高《たか》い圧力《あつりょく》と温度《おんど》で鉄《てつ》がドロドロに熔《と》けている。次《つぎ》は高熱《こうねつ》で岩《いわ》が熔《と》けかけているマグマの層《そう》、下部《かぶ》マントル。

そしてやや温度《おんど》の低《ひく》い上部《じょうぶ》マントル。これらを抜《ぬ》けて、やっと生物《せいぶつ》が暮《く》らす「地殻《ちかく》」と呼《よ》ばれる岩石《がんせき》が冷《ひ》え固《かた》まった層《そう》に出《で》る。その厚《あつ》さは大陸《たいりく》で30〜50㎞。海底《かいてい》にある海洋地殻《かいようちかく》だと6〜7㎞。地球《ちきゅう》の半径《はんけい》が6378㎞であることを考《かんが》えれば、ほんの薄皮一枚《うすかわいちまい》の厚《あつ》みの層《そう》。それが「プレート」と呼《よ》ばれる上部《じょうぶ》マントルのいちばん外側《そとがわ》の岩盤《がんばん》の板《いた》に乗《の》っている状態《じょうたい》なんだ。プレートは、マントル内部《ないぶ》の温度《おんど》差《さ》が生《う》む対流《たいりゅう》によって動《うご》く。だから大陸《たいりく》も、プレートに運《はこ》ばれる形《かたち》で移動《いどう》するのだ。地震《じしん》は、プレートが動《うご》いていることの証《あかし》なんだ。

▼現在《げんざい》、地球《ちきゅう》には12枚《まい》のプレートがあるといわれているよ。

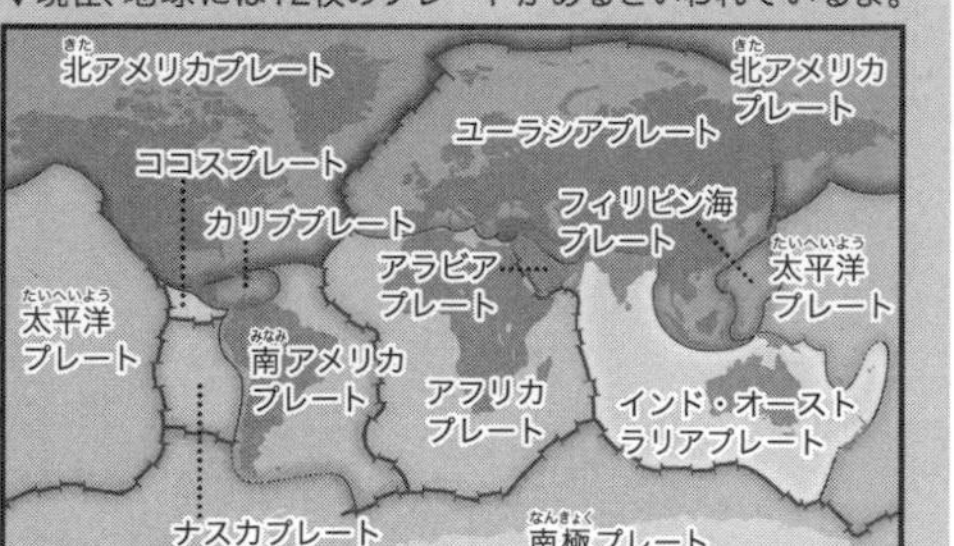
北《きた》アメリカプレート
北《きた》アメリカプレート
ユーラシアプレート
ココスプレート
カリブプレート
フィリピン海プレート
アラビアプレート
太平洋《たいへいよう》プレート
太平洋《たいへいよう》プレート
南《みなみ》アメリカプレート
アフリカプレート
インド・オーストラリアプレート
ナスカプレート
南極《なんきょく》プレート

イラスト／サイエンス　アート

## 今《いま》この瞬間《しゅんかん》も大陸《たいりく》は動《うご》き続《つづ》けている

大陸《たいりく》の移動《いどう》って、別《べつ》に大昔《おおむかし》だけの話《はなし》じゃない。今《いま》この瞬間《しゅんかん》も地球《ちきゅう》の姿《すがた》は変《か》わり続《つづ》けている。マントルの活動《かつどう》が比較的《ひかくてき》ゆるやかな今《いま》も、たとえば太平洋《たいへいよう》なら1年《ねん》に約《やく》10cmずつ狭《せま》くなっているし、逆《ぎゃく》に大西洋《たいせいよう》は1年《ねん》で1～3cmずつ広《ひろ》がっている。遠《とお》い未来《みらい》の世界地図《せかいちず》が、今《いま》とはまったく違《ちが》うものになっているのは間違《まちが》いない。

その間《あいだ》には地震《じしん》や火山活動《かざんかつどう》など、大《おお》きな異変《いへん》がきっと何度《なんど》も起《お》きるんだろう。

実際《じっさい》、2億《おく》5000万年《まんねん》前《まえ》には、活発《かっぱつ》なマントル活動《かつどう》でほとんどの生命《せいめい》が絶滅《ぜつめつ》したといわれている。だが、それは地球《ちきゅう》が生《い》きている証《あかし》だ。ときに無慈悲《むじひ》に思《おも》える自然《しぜん》の営《いとな》みが、新《あら》たな生命《せいめい》を生《う》み出《だ》してきたことも、また事実《じじつ》なのだ。

### 大陸《たいりく》の姿《すがた》の移《うつ》り変《か》わり

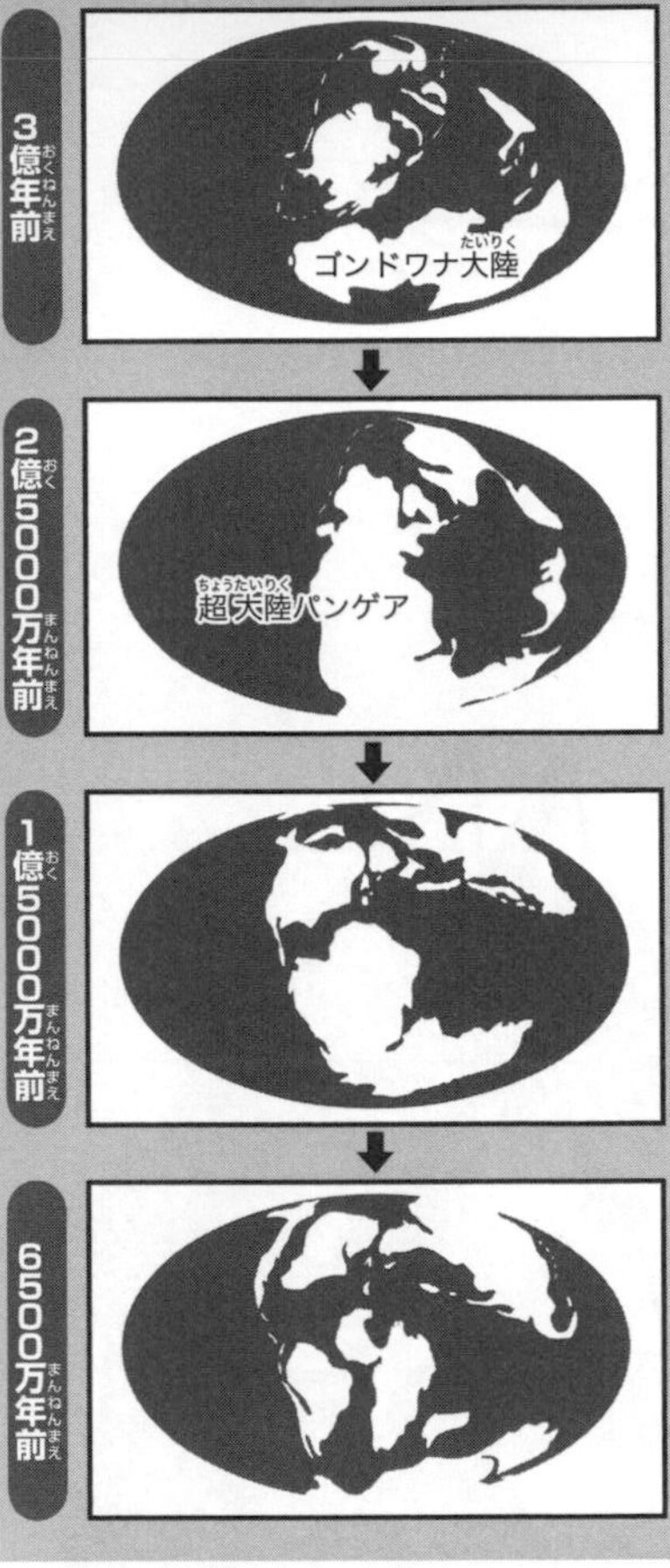

3億年前《おくねんまえ》
ゴンドワナ大陸《たいりく》
2億《おく》5000万年前《まんねんまえ》
超大陸《ちょうたいりく》パンゲア
1億《おく》5000万年前《まんねんまえ》
6500万年前《まんねんまえ》


### 特別コラム　遠《とお》い未来《みらい》の地球《ちきゅう》の姿《すがた》はどうなる?

大陸《たいりく》は移動《いどう》し、合体《がったい》と分裂《ぶんれつ》を繰《く》り返《かえ》す。今《いま》から2～3億年後《おくねんご》には、アメリカとアジアが衝突《しょうとつ》して、新《あたら》しい超大陸《ちょうたいりく》が生《う》まれるといわれているよ。

超大陸《ちょうたいりく》アメイジア
南極《なんきょく》

# オオカミ一《いつ》家《か》

ちゃんと新聞《しんぶん》にでてるんだぞ。

日本《にほん》オオカミを見《み》た人《ひと》がいるって？

山神《やまがみ》とうげで？

だって日本《にほん》オオカミはさいごの一頭《とう》が明治《めいじ》38年《ねん》に見《み》つかって、今《いま》はどこにも生《い》きていないはずでしょう。

学者《がくしゃ》は、山犬《やまいぬ》かなんかの見《み》まちがいじゃないかといってる。

そうだよ、オオカミなんかいるわけないや。

でも、ひょっとして。

見《み》つけたら、日本《にほん》中《じゅう》の大評判《だいひょうばん》になるわ。

ぼく、見《み》つけよう！

のび太《た》が!?

ワハハ
ギャハハハハ
ゲラゲラ
なんだ、なんだ。

**Q** 日本《にほん》には、ニホンオオカミのほか、エゾオオカミもすんでいたが、こちらも絶滅《ぜつめつ》した。本当《ほんとう》? ウソ?

なに!? また ばかに されたの かっ。
のび太《た》くんは、かならず日本《にほん》オオカミを見《み》つけるぞっ!
あすの日曜日《にちようび》、山神《やまがみ》とうげに行《い》って つかまえてくるぞ。
そんなこといって だいじょうぶか。
まかしとけって。
「オオカミ発見《はっけん》き」なんかあるの?
へっ、えらそうなこといって
もし、つかまらなかったら、目《め》でピーナッツをかむか。
ああ、なんでもやってやる!!
ワン。
ドキッ!!
オオカミつかまえるなんて、むりかもなあ……。

このへんが山神《やまがみ》とうげだ。
オオカミがでそうなすごいとこだね。
めったに人《ひと》もよりつかない山《やま》おくだよ。
ガサ
ガサ
このへんでオオカミを見《み》かけなかった?
あれ?……。
あれあれあれれ……。
ガヤ
ガヤ
ザワ
ザワ
本オオカミ
たんけん隊
新聞読《しんぶんよ》んでさがしにきたんだ。
これじゃ、オオカミがいてもかくれちゃうよ。
もっと、おくへ行《い》こう。

A 本当《ほんとう》 北海道《ほっかいどう》などにすんでいた、ニホンオオカミより大型《おおがた》のオオカミ。1900年《ねん》ごろに絶滅《ぜつめつ》したといわれている。

**Q** 1905年《ねん》、ニホンオオカミが捕《ほ》かくされた奈良県東吉野村《ならけんひがしよしのむら》には、記念《きねん》の像《ぞう》がある。本当《ほんとう》？ ウソ？

だけど……。

ほんとにいるのかなあ。

もしいないと、むだぼねおりだよ。

それはだいじょうぶ。

22世紀《せいき》にはちゃんとオオカミのむれがいるんだ。ということは、20世紀《せいき》にも生《い》きのこってるということさ。

では、そろそろとっときのものをだそう。

「オオカミつかまえき」かい？

ジャアン
「月光《げっこう》とう」

未来《みらい》の国《くに》の子《こ》どもたちが、オオカミ男《おとこ》ごっこに使《つか》うライトだよ。

ピカ
あっ。

あ。

あ。

オオカミには、むれをつくる性質《せいしつ》がある。

なかまを見《み》ると、きっとよってくるよ。

ウオー。

A
本当《ほんとう》　日本《にほん》で最後《さいご》に捕《ほ》かくされたニホンオオカミをモデルにした像《ぞう》がある。

服《ふく》はぬがないとまずいだろ。
オオカミがでたらこれをうって、いっしゅんでねむらせちゃう。
ほんとにきくんだろうね。
プシュ
わあ。ドラえもんにあたった。
こまるよ、こんなときねちゃ!!
オオカミ
なにいってんだ、自分《じぶん》もオオカミのくせに。
ああ、そうだっけ。
なかまに会《あ》うなんてひさしぶりだなあ。
う、うん。なつかしい。

Q ニホンオオカミは、生《い》きているものは絶滅《ぜつめつ》。はく製《せい》も世界《せかい》に数体《すうたい》しかない。本当《ほんとう》？　ウソ？

あら、お客《きゃく》さま？
とうちゃん、おかえり。
子《こ》どもたち、外《そと》へでるんじゃないぞ！
人間《にんげん》がおおぜいうろついている。
見《み》つからんじゃないか。オオカミはほんとにいるのかね。
かならずいるんだよ。
なにがなんでも見《み》つけなくちゃ、きたかいがない。
足《あし》あとだ!!
犬《いぬ》じゃない？
いいや、オオカミだ。
おれが一発《ぱつ》でしとめてみせる。
いいや、ぼくだ。
かわいいね。
お客《きゃく》がめずらしいんだよ。
ピク

A 本当《ほんとう》はく製《せい》も世界《せかい》に4体《たい》しかないという。日本《にほん》では東京《とうきょう》の国立《こくりつ》科学《かがく》博物館《はくぶつかん》、和歌山県立《わかやまけんりつ》自然《しぜん》博物館《はくぶつかん》などで見《み》られるよ。

Q 実《じつ》は「ペンギン」も19世紀《せいき》に絶滅《ぜつめつ》した。本当《ほんとう》？ ウソ？

どうしたの？
ウウウ……。
風《かぜ》にのって、人間《にんげん》のにおいが……。
まさか、こんなところまで。
まちがいない!! しかも、大《おお》ぜいこっちへ向《む》かってる。
あれ、おじちゃん。顔《かお》が丸《まる》くなったよ。
え？
あ！ あ！ あ！
月光《げっこう》とうのききめがきえてきたんだ。
きさま!! 人間《にんげん》だったのかっ。
わあ、許《ゆる》して。
きゃあ
プシュ
プシュ

**A** **本当《ほんとう》**　もともと「ペンギン」とは、北大西洋《きたたいせいよう》にいたオオウミガラスの呼《よ》び名《な》。オオウミガラスは1844年《ねん》に絶滅《ぜつめつ》した。

まにあってよかった。ずっと足《あし》あとをつけてきたんだよ。
ええっ、つかまえるのやめたって!! 命《いのち》がけで苦労《くろう》したのに？ ばかみたい!!
わかった、わかった。
このへんは、すみずみまでさがしたよ。
えっ、ほんと？
約束《やくそく》だ、目《め》でピーナッツをかめ！
「目《め》でピーナッツかみき」だしてよ。
そんなのないなあ。

# 日本《にほん》にも絶滅《ぜつめつ》した動物《どうぶつ》はたくさん？

だって日本《にほん》オオカミはさいごの一頭が明治38年に見つかって、今はどこにも生きていないはずでしょう。

## 狩《か》られたり伝染病《でんせんびょう》で絶滅《ぜつめつ》した ニホンオオカミ

まんがでのび太《た》は、ニホンオオカミの家族《かぞく》に出会《であ》うけれど、日本《にほん》の野生動物《やせいどうぶつ》についてあつかう環境省《かんきょうしょう》では、ニホンオオカミを絶滅《ぜつめつ》としている。

生《い》きているニホンオオカミが最後《さいご》に確《かく》認《にん》されたのは、まんがのとおり明治《めいじ》38年《ねん》（1905年《ねん》）。絶滅《ぜつめつ》の原因《げんいん》ははっきりとしていないが、家畜《かちく》を襲《おそ》うため人《ひと》に狩《か》られたり、外国《がいこく》からペットとして連《つ》れてこられた犬《いぬ》が持《も》ち込《こ》んだ伝染病《でんせんびょう》のためなどといわれている。

1900年代《ねんだい》になって日本《にほん》で絶滅《ぜつめつ》した動物《どうぶつ》は、ほ乳類《にゅうるい》でもニホンオオカミだけでなく、ニホンアシカやニホンカワウソも、ほぼ絶滅《ぜつめつ》と考《かんが》えられている。

【ニホンオオカミ】

▲昔《むかし》は日本中《にほんじゅう》で見《み》られたが、1905年《ねん》を最後《さいご》に確実《かくじつ》な目《もく》げき情報《じょうほう》はない。

イラスト／桝村太一

【ニホンアシカ】

▼日本海《にほんかい》にすんでいたが、毛皮《けがわ》などを取《と》るために狩《か》られ、ほぼ絶滅状態《ぜつめつじょうたい》。

イラスト／桝村太一

### 特別《とくべつ》コラム ニホンオオカミが復活《ふっかつ》する!?

ニホンオオカミが絶滅《ぜつめつ》したため、ニホンオオカミが天敵《てんてき》だったイノシシやニホンジカ、ニホンザルが増《ふ》え、農作物《のうさくもつ》などに被害《ひがい》を与《あた》えている。だから外国《がいこく》からオオカミを連《つ》れてきて、日本《にほん》に放《はな》そうという人《ひと》もいる。だが連《つ》れてきたオオカミが害獣《がいじゅう》になる可能性《かのうせい》もある。

一方《いっぽう》、ニホンオオカミのはく製《せい》から、クローン技術《ぎじゅつ》で復活《ふっかつ》させようと考《かんが》える人《ひと》もいる。

## 野《や》生《せい》のものは絶《ぜつ》滅《めつ》
## 人《じん》工《こう》的《てき》に増《ふ》やしているトキ

トキも、19世《せい》紀《き》まで、日《に》本《ほん》中《じゅう》にいる鳥《とり》だったが、肉《にく》や羽《う》毛《もう》を取《と》るために狩《か》られ、2003年《ねん》、「キン」という名《な》のトキを最《さい》後《ご》に、日《に》本《ほん》産《さん》の野《や》生《せい》のトキは絶《ぜつ》滅《めつ》した。

ただしトキは、ニホンオオカミと異《こと》なり、同《おな》じ種《しゅ》類《るい》の野《や》生《せい》のトキがまだ中《ちゅう》国《ごく》に住《す》んでいた。現《げん》在《ざい》、佐《さ》渡《ど》島《がしま》のトキ保《ほ》護《ご》センターでは、この中《ちゅう》国《ごく》生《う》まれのトキを人《じん》工《こう》的《てき》に増《ふ》やす活《かつ》動《どう》に取《と》り組《く》んでおり、2008年《ねん》からは育《そだ》てたトキを自《し》然《ぜん》に返《かえ》す放《ほう》鳥《ちょう》も行《おこな》っている。

イラスト／水谷高英

▲上《うえ》は、繁《はん》殖《しょく》期《き》のトキと、そのほかの時《じ》期《き》のトキ。繁《はん》殖《しょく》期《き》には頭《あたま》のまわりの羽《はね》が黒《くろ》くなる。

特《とく》別《べつ》コラム

### 絶《ぜつ》滅《めつ》したと思《おも》われたものが再《さい》発《はっ》見《けん》されたり新《あたら》しく発《はっ》見《けん》されたりした種《しゅ》もいる

2010年《ねん》、タレントのさかなクンが、クニマスを発《はっ》見《けん》したというニュースが流《なが》れた。クニマスは、秋《あき》田《た》県《けん》の田《た》沢《ざわ》湖《こ》にだけすんでいたサケの仲《なか》間《ま》。ところが1940年《ねん》代《だい》、田《た》沢《ざわ》湖《こ》の水《すい》質《しつ》が悪《あっ》化《か》し、田《た》沢《ざわ》湖《こ》のクニマスは絶《ぜつ》滅《めつ》した。そのクニマスが山《やま》梨《なし》県《けん》の西《さい》湖《こ》で再《さい》発《はっ》見《けん》されたのだ。1935年《ねん》、クニマスを人《じん》工《こう》的《てき》に増《ふ》やす実《じっ》験《けん》のため西《さい》湖《こ》に放《ほう》流《りゅう》された卵《たまご》から増《ふ》えたらしい。

一《いっ》方《ぽう》、ヤンバルクイナは、1981年《ねん》、初《はじ》めて新《しん》種《しゅ》として確《かく》認《にん》された沖《おき》縄《なわ》県《けん》だけにすむ鳥《とり》。ところが現《げん》在《ざい》、ハブ対《たい》策《さく》に沖《おき》縄《なわ》に放《はな》されたマングースに襲《おそ》われたりして、絶《ぜつ》滅《めつ》の危《き》機《き》といわれている。

◀つばさが小《ちい》さく、飛《と》べないと考《かんが》えられている。

イラスト／水谷高英

# 動物《どうぶつ》が絶滅《ぜつめつ》するってどういうこと？

## 日本《にほん》では50年間《ねんかん》、見《み》られないと絶滅《ぜつめつ》とされている

絶滅《ぜつめつ》とは、ひとつの種類《しゅるい》の生《い》き物《もの》が、すべて死《し》ぬこと。ところが実際《じっさい》に、ある種類《しゅるい》の生《い》き物《もの》がすべて死《し》んだかどうかを確認《かくにん》することはかなり難《むずか》しい。そこで日本《にほん》では、環境省《かんきょうしょう》が、過去《かこ》50年前後《ねんぜんご》、信頼《しんらい》できる生息情報《せいそくじょうほう》がないものなどを「野生絶滅《やせいぜつめつ》」、飼育《しいく》・栽培《さいばい》されているものも含《ふく》めてすべて絶滅《ぜつめつ》しているものを「絶滅《ぜつめつ》」と定《さだ》めているよ。

1975年《ねん》　ニホンアシカ
最後《さいご》の目《もく》げき
あと14年《ねん》…
あと13年《ねん》…
2025年《ねん》
ニホンアシカ
絶《ぜつ》滅《めつ》決《けっ》定《てい》？


## 人《ひと》が世界中《せかいじゅう》のいたるところで生活《せいかつ》するようになり多《おお》くの動物《どうぶつ》が絶滅《ぜつめつ》

約《やく》６５５０万年前《まんねんまえ》、恐竜《きょうりゅう》が絶滅《ぜつめつ》したように、これまで地球《ちきゅう》では何度《なんど》か大量絶滅《たいりょうぜつめつ》が起《お》きている。しかし現在《げんざい》も多《おお》くの生《い》き物《もの》が絶滅《ぜつめつ》の危機《きき》にあるといわれている。たとえばこの地球《ちきゅう》には人間《にんげん》が知《し》っているほ乳類《にゅうるい》が５５００種類《しゅるい》ぐらいいる。そのうちの１１００種類《しゅるい》に絶滅《ぜつめつ》のおそれがあるという。5種類《しゅるい》に1種類《しゅるい》は、絶滅《ぜつめつ》のおそれがあるんだ。両生類《りょうせいるい》では、なんと3種類《しゅるい》に1種類《しゅるい》。その大《おお》きな原因《げんいん》になっているのが、実《じつ》は人間《にんげん》なんだ。

### ○自然《しぜん》破壊《はかい》が進《すす》んで絶滅《ぜつめつ》

人間《にんげん》は森《もり》など自然《しぜん》を切《き》り開《ひら》き、自分《じぶん》たちの住《す》むところをどんどん広《ひろ》げている。ところが人間《にんげん》が切《き》り開《ひら》いた自然《しぜん》には、もともと多《おお》くの生《い》き物《もの》がすんでいる。自然破壊《しぜんはかい》によって、そこにすんでいた生《い》き物《もの》たちがすみかや食《た》べ物《もの》をなくして絶滅《ぜつめつ》の危機《きき》におちいってしまうことがある。前《まえ》のページで紹介《しょうかい》した田沢湖《たざわこ》のクニマスが、自然破壊《しぜんはかい》

による絶滅《ぜつめつ》のひとつの例《れい》。

田沢湖《たざわこ》で水力発電《すいりょくはつでん》を行《おこな》うため、田沢湖《たざわこ》の水《みず》を増《ふ》やそうとして、生《い》き物《もの》にとって有毒《ゆうどく》な水《みず》を田沢湖《たざわこ》に流《なが》しこんでしまった。それが田沢湖《たざわこ》のクニマスを全滅《ぜんめつ》させることになったんだ。

## 人《ひと》に狩《か》られ絶滅《ぜつめつ》

家畜《かちく》を襲《おそ》う害獣《がいじゅう》として人間《にんげん》に狩《か》られたことが、ニホンオオカミの絶滅《ぜつめつ》の原因《げんいん》のひとつになった。人間《にんげん》にとって害獣《がいじゅう》だからというだけでなく、ハンティングのえものとして狙《ねら》われたり、ペットにするために狩《か》られたりして絶《ぜつ》滅《めつ》したものもいるよ。

日本《にほん》の群馬県《ぐんまけん》に咲《さ》いていたタカノホシクサという植《しょく》物《ぶつ》は、めずらしさに多《おお》くの人《ひと》が採集《さいしゅう》した結果《けっか》、絶滅《ぜつめつ》したという。かわいがるつもりが、絶滅《ぜつめつ》という結果《けっか》になることもあるんだ。

## 人《ひと》が持《も》ち込《こ》んだ動物《どうぶつ》により絶滅《ぜつめつ》

沖縄県《おきなわけん》のヤンバルクイナは絶滅《ぜつめつ》してはいないが、人《ひと》が持《も》ち込《こ》んだ動物《どうぶつ》による絶滅《ぜつめつ》の危機《きき》の例《れい》になるよ。

もともとマングースは、ヤンバルクイナがすむ沖縄本《おきなわほん》島《とう》にはいない動物《どうぶつ》。それどころか沖縄本島《おきなわほんとう》には、ほかの小動物《しょうどうぶつ》を狩《か》って食《た》べるハンターのような動物《どうぶつ》が少《すく》なかった。

そのような環境《かんきょう》に、強《きょう》力《りょく》なハンターになるマングースやネコのような動《どう》物《ぶつ》を人間《にんげん》が放《はな》してしまった結果《けっか》、昔《むかし》からそこにすんでいた生物《せいぶつ》が絶滅《ぜつめつ》することもあるんだ。

## ほかにも絶滅《ぜつめつ》の理由《りゆう》はたくさん

ここでは人間《にんげん》の行動《こうどう》が、ほかの生《い》き物《もの》を絶滅《ぜつめつ》の危機《きき》に追《お》いやっている例《れい》を3つ紹介《しょうかい》してきたけれど、もちろん他《ほか》にも原因《げんいん》や、これらが組《く》み合《あ》わさって、自然《しぜん》の生《い》き物《もの》をおびやかすこともある。人間《にんげん》のどんな行動《こうどう》が他《ほか》の生《い》き物《もの》にとって脅威《きょうい》になるのか、自分《じぶん》でも調《しら》べてみよう。

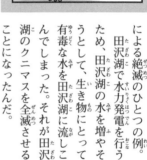

# 人類《じんるい》が生《う》まれる以前《いぜん》にも大量絶滅《たいりょうぜつめつ》があったって本当《ほんとう》？

## これまでに5回《かい》、地球《ちきゅう》で大量絶滅《たいりょうぜつめつ》が起《お》きている

地球《ちきゅう》の長《なが》い歴史《れきし》のなかでは、ある時期《じき》に多《おお》くの種類《しゅるい》の生《い》き物《もの》が同時《どうじ》に絶滅《ぜつめつ》することがある。たとえば恐竜《きょうりゅう》が絶《ぜつ》滅《めつ》した白亜紀末《はくあきまつ》の大量絶滅《たいりょうぜつめつ》もそのひとつ。ここでは、恐《きょう》竜《りゅう》が絶滅《ぜつめつ》した白亜紀末《はくあきまつ》の大量絶滅《たいりょうぜつめつ》をのぞく4つの大量絶《たいりょうぜつ》滅《めつ》について紹介《しょうかい》するよ。

左《ひだり》のページの表《ひょう》は、古生代以降《こせいだいいこう》、その時代《じだい》に生《い》きていた生《い》き物《もの》の属《ぞく》（種《しゅ》よりも大《おお》きな生《い》き物《もの》のまとまり）がどれほど絶滅《ぜつめつ》したかを、割合《わりあい》（％）で表《あらわ》したもの。5つの大《たい》量絶滅以外《りょうぜつめついがい》にも、多《おお》くの生《い》き物《もの》が絶滅《ぜつめつ》しているね。これを見《み》ると、地球《ちきゅう》の歴史《れきし》から見《み》れば、ある生《い》き物《もの》が絶滅《ぜつめつ》すること自体《じたい》は、決《けっ》してめずらしいことではないことがわかる。ただし、多《おお》くの生《い》き物《もの》が同時《どうじ》に絶滅《ぜつめつ》したとすると話《はなし》は別《べつ》。何《なに》か、地球規模《ちきゅうきぼ》で大異変《だいいへん》が起《お》きたと考《かんが》えられるからだ。今《いま》も、大量絶滅《たいりょうぜつめつ》のなぞを解《と》くために、研究《けんきゅう》が進《すす》められているぞ。

### ○オルドビス紀末《きまつ》の大量絶滅《たいりょうぜつめつ》

約《やく》4億《おく》3500万年前《まんねんまえ》に起《お》きた大量絶滅《たいりょうぜつめつ》。サンゴや海綿《かいめん》、三葉虫《さんようちゅう》、貝《かい》に似《に》た腕《わん》足動物《そくどうぶつ》などの一部《いちぶ》が絶滅《ぜつめつ》した。最近《さいきん》の研究《けんきゅう》では、宇宙《うちゅう》で起《お》きた超新星爆発《ちょうしんせいばくはつ》で地球《ちきゅう》に大量《たいりょう》の放射線《ほうしゃせん》がふりそそぎ、それが大量絶滅《たいりょうぜつめつ》の原因《げんいん》になったのではないかとも考《かんが》えられているよ。

### ○デボン紀後期《きこうき》の大量絶滅《たいりょうぜつめつ》

約《やく》3億《おく》6000万年前《まんねんまえ》に起《お》きた大量絶滅《たいりょうぜつめつ》。頭《あたま》が骨《ほね》でおおわれた板皮魚類《ばんぴぎょるい》やサンゴ、海綿《かいめん》など、海《うみ》の生物《せいぶつ》の80％以上《いじょう》の種《しゅ》が絶滅《ぜつめつ》した。

この時期《じき》、寒暖《かんだん》の差《さ》が激《はげ》

【ダンクルオステウス】

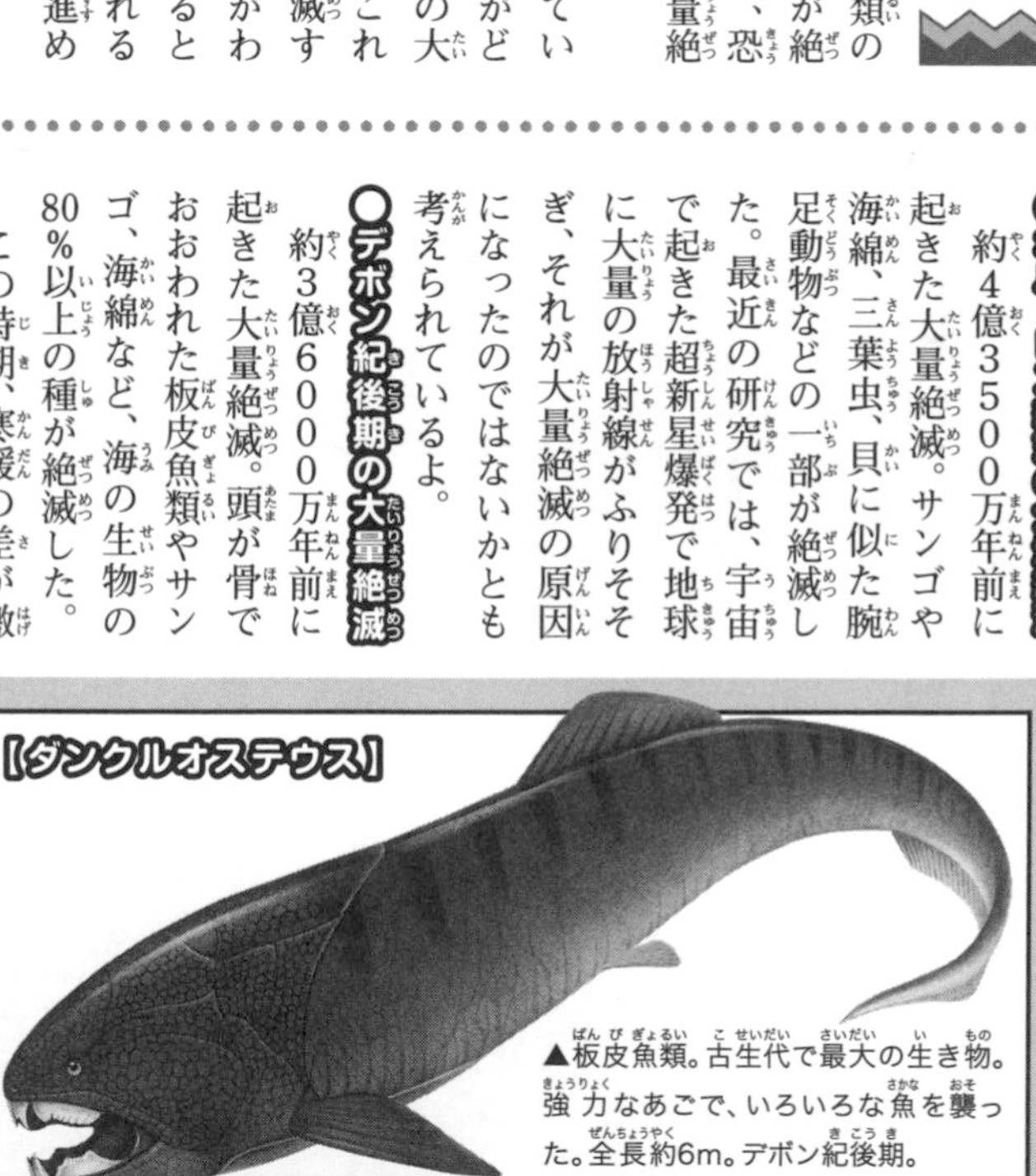

▲板皮魚類《ばんぴぎょるい》。古生代《こせいだい》で最大《さいだい》の生《い》き物《もの》。強力《きょうりょく》なあごで、いろいろな魚《さかな》を襲《おそ》った。全長約《ぜんちょうやく》6m。デボン紀後期《きこうき》。

イラスト／大片忠明

## 地球《ちきゅう》を何度《なんど》も襲《おそ》った大量絶滅《たいりょうぜつめつ》

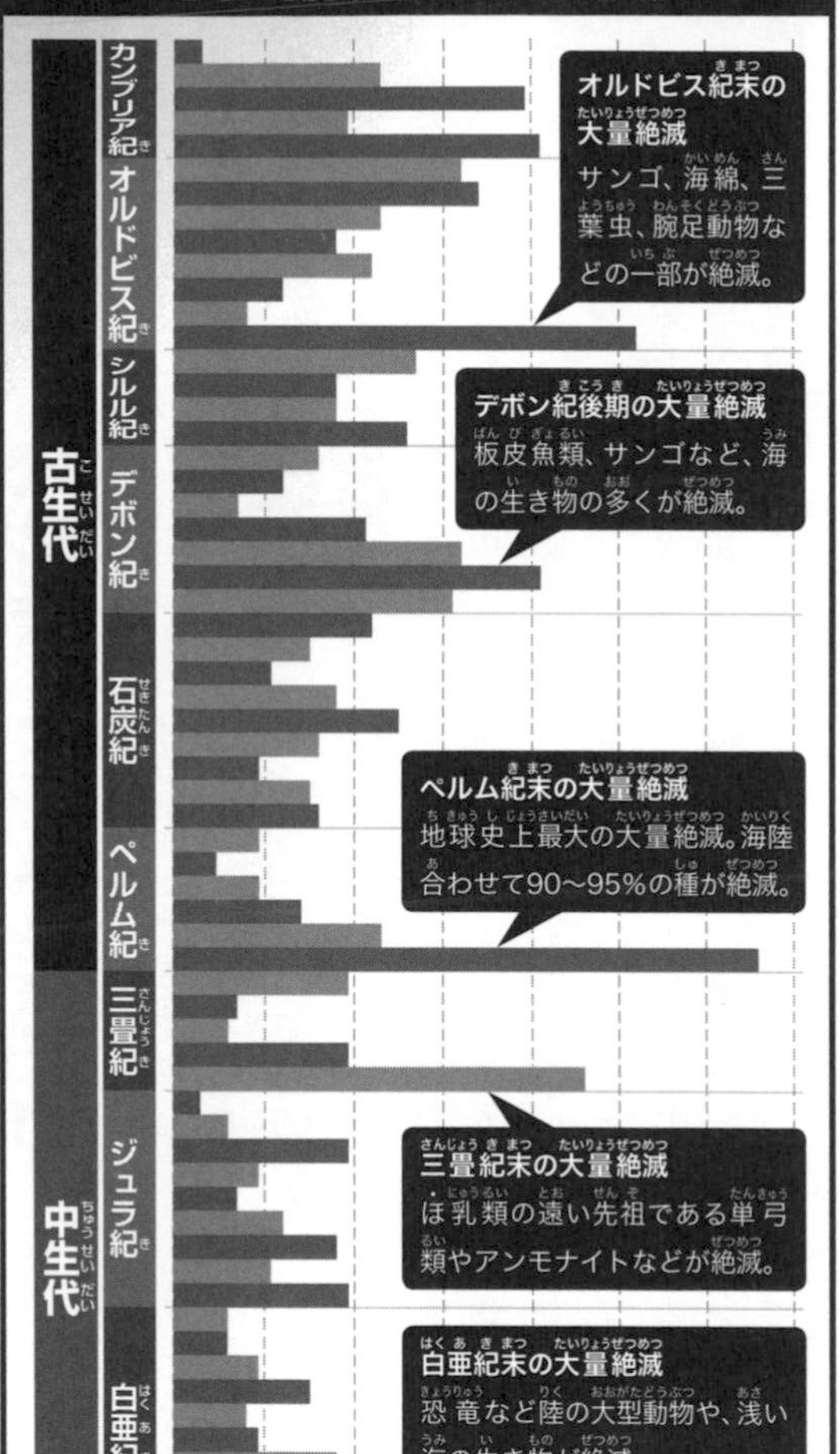

古生代《こせいだい》
中生代《ちゅうせいだい》
新生代《しんせいだい》
カンブリア紀《き》
オルドビス紀《き》
シルル紀《き》
デボン紀《き》
石炭紀《せきたんき》
ペルム紀《き》
三畳紀《さんじょうき》
ジュラ紀《き》
白亜紀《はくあき》
第三紀《だいさんき》
0 10 20 30 40 50 60 70 (%)
オルドビス紀末《きまつ》の大量絶滅《たいりょうぜつめつ》
サンゴ、海綿《かいめん》、三《さん》葉虫《ようちゅう》、腕足動物《わんそくどうぶつ》などの一部《いちぶ》が絶滅《ぜつめつ》。
デボン紀後期《きこうき》の大量絶滅《たいりょうぜつめつ》
板皮魚類《ばんぴぎょるい》、サンゴなど、海《うみ》の生《い》き物《もの》の多《おお》くが絶滅《ぜつめつ》。
ペルム紀末《きまつ》の大量絶滅《たいりょうぜつめつ》
地球史上最大《ちきゅうしじょうさいだい》の大量絶滅《たいりょうぜつめつ》。海陸《かいりく》合《あ》わせて90～95%の種《しゅ》が絶滅《ぜつめつ》。
三畳紀末《さんじょうきまつ》の大量絶滅《たいりょうぜつめつ》
ほ乳類《にゅうるい》の遠《とお》い先祖《せんぞ》である単弓《たんきゅう》類《るい》やアンモナイトなどが絶滅《ぜつめつ》。
白亜紀末《はくあきまつ》の大量絶滅《たいりょうぜつめつ》
恐竜《きょうりゅう》など陸《りく》の大型動物《おおがたどうぶつ》や、浅《あさ》い海《うみ》の生《い》き物《もの》が絶滅《ぜつめつ》。


しくなったり、海水面《かいすいめん》が後退《こうたい》したり、気候《きこう》や環境《かんきょう》の大変《だいへん》化《か》が何度《なんど》も繰《く》り返《かえ》されたことがわかっているが、そのどれが大量絶滅《たいりょうぜつめつ》の原因《げんいん》になったのかは不明《ふめい》だ。

### ○三畳紀末《さんじょうきまつ》の大量絶滅《たいりょうぜつめつ》

時代的《じだいてき》にはペルム紀《き》の方《ほう》が先《さき》だけれど、順番《じゅんばん》を変《か》えて三畳紀末《さんじょうきまつ》の大量絶滅《たいりょうぜつめつ》から紹介《しょうかい》するよ。約《やく》2億《おく》1200万《まん》年前《ねんまえ》の大量絶滅《たいりょうぜつめつ》。人間《にんげん》などほ乳類《にゅうるい》の遠《とお》い先祖《せんぞ》である単弓《たんきゅう》類《るい》や、多《おお》くのアンモナイトなどが絶滅《ぜつめつ》。原因《げんいん》はよくわかっていないけれど、火山活動《かざんかつどう》が活発《かっぱつ》になったことが関係《かんけい》しているといわれているよ。大量絶滅《たいりょうぜつめつ》があると、そのすきまをうめるように生《い》き残《のこ》った生《い》き物《もの》が発展《はってん》するけれど、恐竜《きょうりゅう》はこの絶滅《ぜつめつ》のあとに栄《さか》えるんだ。

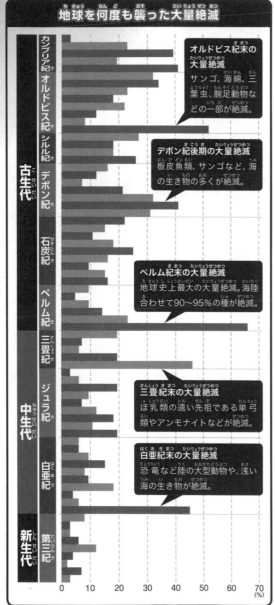

# 地球《ちきゅう》最大《さいだい》の大量絶滅《たいりょうぜつめつ》って何《なに》？

## ペルム紀末《きまつ》の大量絶滅《たいりょうぜつめつ》では海《うみ》の生《い》き物《もの》の96%が絶滅《ぜつめつ》

恐竜《きょうりゅう》が絶滅《ぜつめつ》した白亜紀末《はくあきまつ》の大量絶滅《たいりょうぜつめつ》よりもさらに大規模《だいきぼ》な、地球史上最大《ちきゅうしじょうさいだい》の大量絶滅《たいりょうぜつめつ》といわれるのが、このペルム紀《き》の大量絶滅《たいりょうぜつめつ》だ。約《やく》２億《おく》５０００万年前《まんねんまえ》に起《お》きたよ。このとき、海《うみ》の生《い》き物《もの》では約《やく》96%、陸上《りくじょう》も含《ふく》めたすべての生物《せいぶつ》でみても90～95%の種《しゅ》が絶滅《ぜつめつ》したといわれている。このとき、古生代《こせいだい》に栄《さか》えた三葉虫《さんようちゅう》も全滅《ぜんめつ》した。

空気中《くうきちゅう》の酸素《さんそ》の濃度《のうど》が下《さ》がり、ほ乳類《にゅうるい》の遠《とお》い先祖《せんぞ》である単弓類《たんきゅうるい》も多《おお》くが絶滅《ぜつめつ》したが、腹式呼吸《ふくしきこきゅう》をするものが少《すく》ない酸《さん》素《そ》のなかを生《い》き残《のこ》り、ほ乳類《にゅうるい》の祖先《そせん》になったという説《せつ》も。

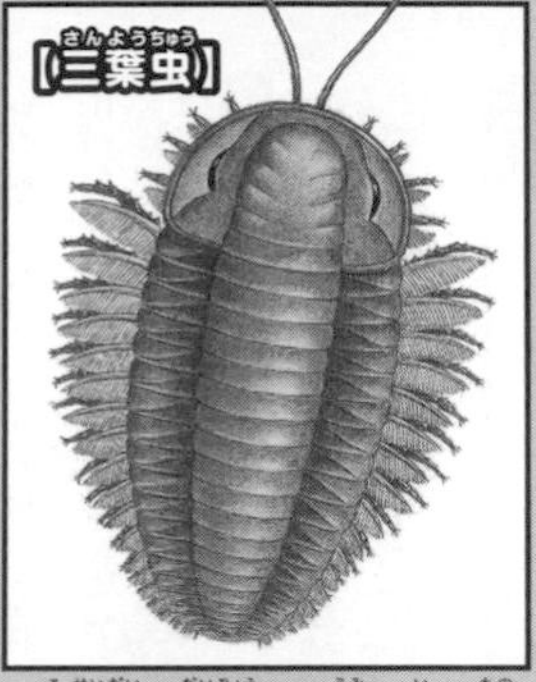


▲古生代《こせいだい》を代表《だいひょう》する海《うみ》の生《い》き物《もの》。ペルム紀《き》の終《お》わりに絶滅《ぜつめつ》した。

イラスト／桝村太一

## 火山《かざん》の爆発《ばくはつ》や気候《きこう》の変化《へんか》が絶滅《ぜつめつ》の原因《げんいん》に

ペルム紀末《きまつ》の大量絶滅《たいりょうぜつめつ》は、火山活動《かざんかつどう》が活発《かっぱつ》になって起《お》きたといわれている。火山《かざん》が爆発《ばくはつ》して大気中《たいきちゅう》の二酸化炭《にさんかたん》素《そ》が増《ふ》えると、温暖化《おんだんか》が起《お》こり、海水温《かいすいおん》が高《たか》くなる。その結果《けっか》、水中《すいちゅう》の酸素濃度《さんそのうど》が低下《ていか》して、海《うみ》で生《い》き物《もの》が絶滅《ぜつめつ》。また爆発《ばくはつ》のちりで太陽《たいよう》の光《ひかり》がさえぎられ、光合成《こうごうせい》できない植物《しょくぶつ》がかれ、食《た》べ物《もの》がなくなった陸上《りくじょう》の動物《どうぶつ》も絶滅《ぜつめつ》したと考《かんが》えられているんだ。

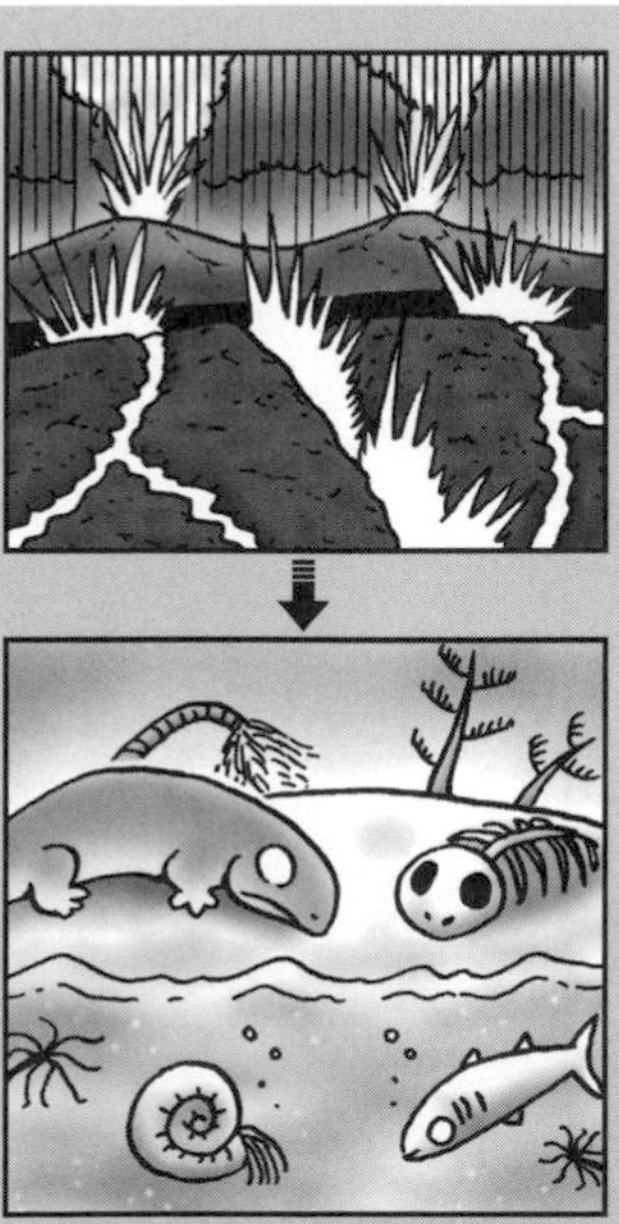

# モアよドードーよ、永《えい》遠《えん》に

Q 家畜《かちく》ウシのもとになった野生《やせい》のウシが、17世紀《せいき》までヨーロッパの森《もり》に生《い》きていた。本当《ほんとう》？ ウソ？

伝説《でんせつ》の巨鳥《きょちょう》モアが何百年《なんびゃくねん》か前《まえ》絶滅《ぜつめつ》した原因《げんいん》についてはさまざまな説《せつ》がありますが、
最大《さいだい》のもので高《たか》さ四メートル
人間《にんげん》に狩《か》りつくされたとの見方《みかた》が有力《ゆうりょく》です。
ほかにも人間《にんげん》による捕《ほ》かくや、自然《しぜん》破壊《はかい》のため絶滅《ぜつめつ》した動物《どうぶつ》や、
リョコウバト
ドードー
ニホンオオカミ
コウノトリ
トキ
ニホンカワウソ
絶滅寸前《ぜつめつすんぜん》の動物《どうぶつ》はたくさんあります。
大自然《だいしぜん》をまもることは二十世紀《せいき》に生《い》きる私《わたし》たちの大《おお》きな責任《せきにん》となっているのです。
ジャジャジャジャーン！
へー……。
ホー……。
フウン……。

テレビって
歌《うた》とまんがと
スポーツばかり
じゃないんだね。
こんなまじめな番組《ばんぐみ》を はじめて見《み》て たいへん勉強《べんきょう》に なりました。
そうなんだ！ ぼくらは もっと 自然《しぜん》を大切《たいせつ》に しなくちゃ。
けものや鳥《とり》や 虫《むし》や草木《くさき》も。
おう おう、 かわい そうに。
さあ、 にげろ。
ゴキブリが 絶滅《ぜつめつ》したら たいへん だから。
人間《にんげん》が 絶滅《ぜつめつ》しても ゴキブリは のこるといわれ てるぐらいよ。 同情《どうじょう》すること ありません。
おやつ ちょうだい。
ドラやきが あったんだけど ゴキブリが たかったから すてたわ。
こいつめ こいつめ。

A 本当《ほんとう》 野生《やせい》の牛《うし》オーロックスは、9000年《ねん》ほど前《まえ》に家畜化《かちくか》されたが、野生《やせい》のまま生《い》き続《つづ》けたものもいた。1627年《ねん》に絶滅《ぜつめつ》。

ハハ、なんだ、たかがおやつぐらいで。
ナニ？ドラやき！
あきらめよう。
あきらめきれない。
おい。
何《なに》をはじめるんだ。
「タイムホール」と「タイムトリモチ」
うしなわれた物《もの》をとりもどす機械《きかい》だ。
ドラやきがゴキブリにあらされたのは何時《なんじ》？
わかんないけど、買《か》ったのはお昼《ひる》ごろらしいよ。

**恐竜《きょうりゅう》と失《うしな》われた動物《どうぶつ》たち Q&A《キューアンドエー》**

**Q** 育児《いくじ》のうと呼《よ》ばれる袋《ふくろ》で子《こ》どもを育《そだ》てたフクロオオカミはオオカミ（イヌ科《か》）の仲間《なかま》。本当《ほんとう》？ ウソ？

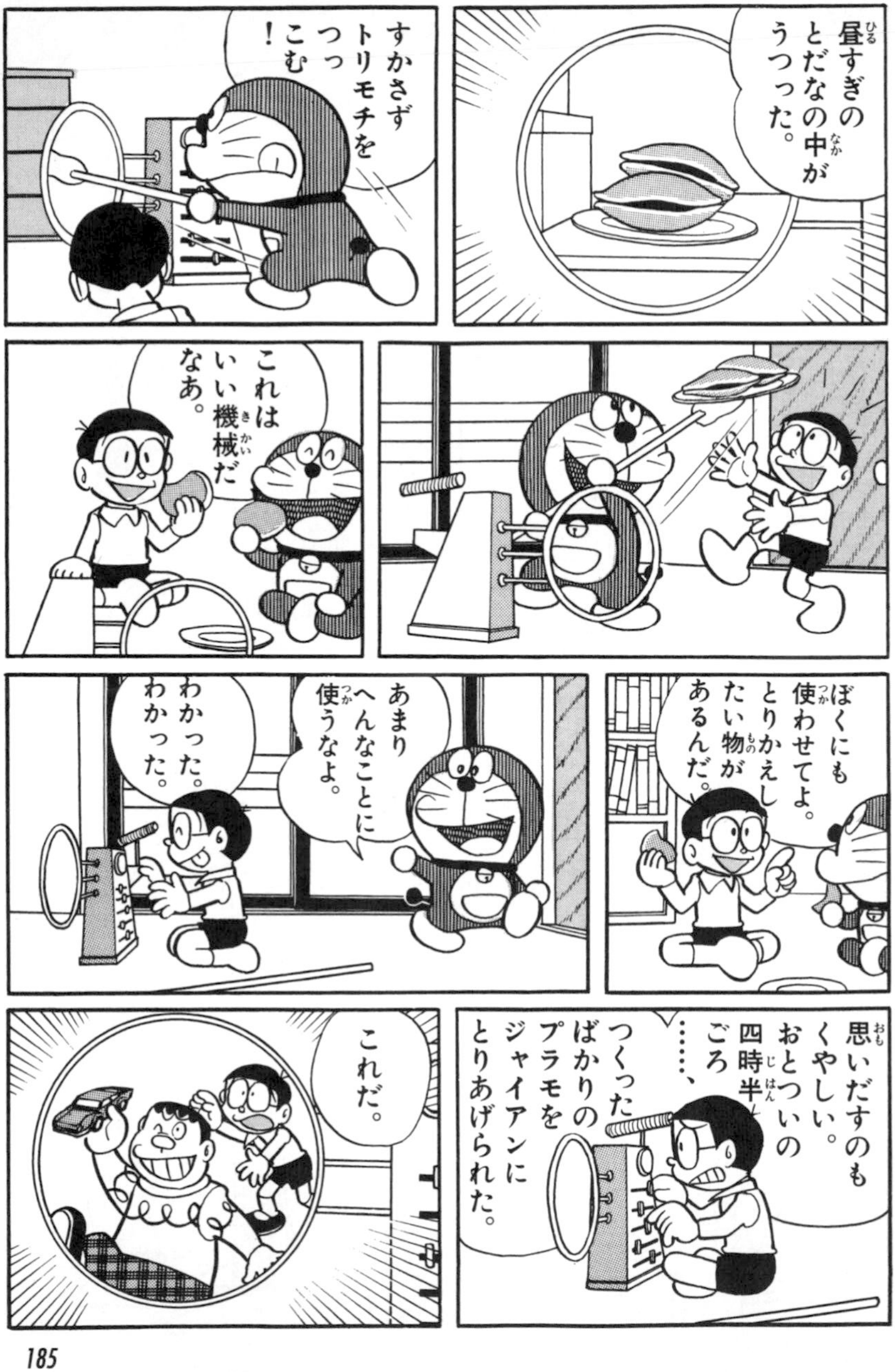
昼《ひる》すぎのとだなの中《なか》がうつった。
すかさずトリモチをつっこむ！
これはいい機械《きかい》だなあ。
ぼくにも使《つか》わせてよ。とりかえしたい物《もの》があるんだ。
あまりへんなことに使《つか》うなよ。
わかった。わかった。
思《おも》いだすのもくやしい。おとついの四時《じ》半《はん》ごろ……、
つくったばかりのプラモをジャイアンにとりあげられた。
これだ。

**A** ウソ　20世紀《せいき》に絶滅《ぜつめつ》したフクロオオカミは、顔《かお》つきはオオカミだが、下半身《かはんしん》はカンガルーに似《に》ていた。狩《か》りも単独《たんどく》で行《おこな》った。

Q すでに絶滅《ぜつめつ》しているドードーを、今《いま》も「国鳥《こくちょう》」と定《さだ》めている国《くに》がある。本当《ほんとう》？ ウソ？

サッ
？？？
あれ……、
どこへきえた！
おお、よく帰《かえ》ってきた！
チュッ
チュッ
そうだ！あれもとりもどそう。
今月《こんげつ》のこづかいもらったとたんになくなったんだ。
じつにふしぎな事件《じけん》だった。
手《て》にもったこづかいが煙《けむり》のようにパッときえうせたのだ！
これなんだよ。
サッ
もうかった。
まてよ………。
わあ、煙《けむり》のようにきえた！
じつにふしぎだ。

A 本当《ほんとう》　インド洋《よう》にあるモーリシャス共和国《きょうわこく》。かつてドードーがいた国《くに》だ。その国章《こくしょう》にもドードーが描《えが》かれている。

今《いま》とったためにあの時《とき》なくなったのだとすれば、
ちっとももうかっていないぞ。

なんだばかばかしい。

なんとかこれを使《つか》ってお金《かね》をもうけられそうなもんだ。

たとえばさ、昔《むかし》の有名《ゆうめい》な人《ひと》のつかった品物《しなもの》なんか高《たか》く売《う》れるぞ。

豊臣秀吉《とよとみひでよし》がはきふるしたぞうりとかナポレオンのズボンつりとかさ。

海賊《かいぞく》キッドが盗《ぬす》んだ宝《たから》を島《しま》に埋《う》める前《まえ》にゴッソリいただいちゃうとか。

かさない！

ケチ！

これはまじめな目的《もくてき》の機械《きかい》なんだぞ。

たとえば戦争《せんそう》のために焼《や》かれた美術品《びじゅつひん》とか貴重《きちょう》な文献《ぶんけん》とかをとりもどすためにつかうんだ。

じゃ、
まじめな目的《もくてき》なら使《つか》わせてくれる？
ああ。
ナニ？
絶滅《ぜつめつ》した動物《どうぶつ》たちを昔《むかし》の世界《せかい》からつれてきてさ、
こんどこそ大事《だいじ》に育《そだ》ててふやしてさ。
それはきみらしくないすばらしい思《おも》いつきだぞ。
まずモアからいこうよ。
場所《ばしょ》はニュージーランド、時《とき》は……五百年前《ひゃくねんまえ》くらいでいいか。
これが五百年前《ひゃくねんまえ》のニュージーランド。
なかなか見《み》つからないね。
けっこうひろいんだね。

**恐竜《きょうりゅう》と失《うしな》われた動物《どうぶつ》たち Q&A《キューアンドエー》**

**Q** 絶滅《ぜつめつ》した史上《しじょう》最大級《さいだいきゅう》の鳥類《ちょうるい》ジャイアントモアの卵《たまご》の体積《たいせき》は、鶏卵《けいらん》の何倍《なんばい》？

① 10倍《ばい》
② 30倍《ばい》
③ 60倍《ばい》

A ③60倍《ばい》　楕円形《だえんけい》の卵《たまご》はタテ25㎝、ヨコ20㎝。体積《たいせき》で比較《ひかく》するとニワトリの卵《たまご》のおよそ60倍《ばい》。

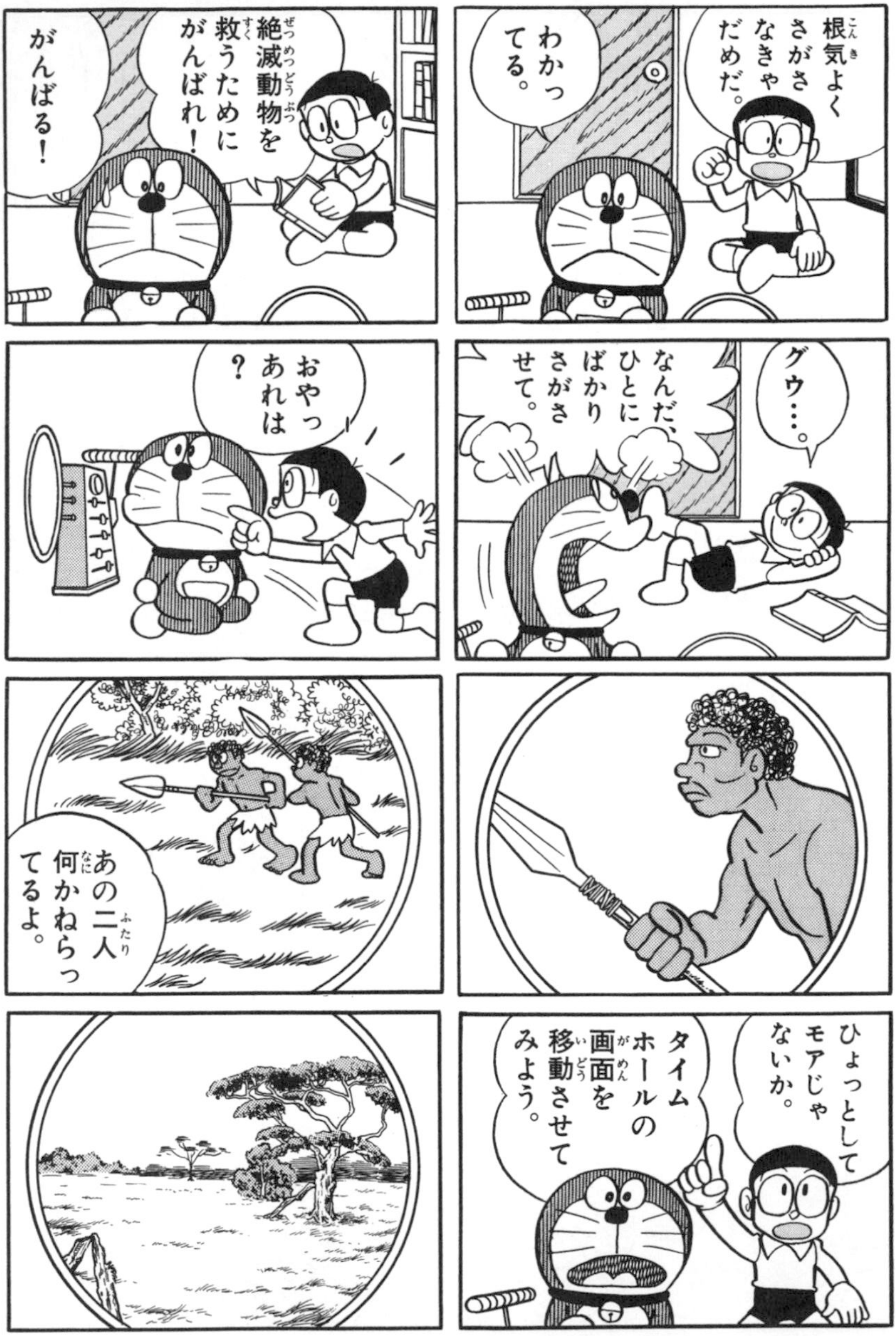

Q 恐竜《きょうりゅう》も病《びょう》気《き》にかかった。本当《ほんとう》？ ウソ？

A 本当《ほんとう》 これまでに発見《はっけん》された恐竜《きょうりゅう》の化石《かせき》から、関節炎《かんせつえん》やがんにかかっていたと思《おも》われるあとが見《み》つかっている。

Q スズメの仲間《なかま》にも空《そら》を飛《と》べなくなったものがいる。本当《ほんとう》？ ウソ？

パク
ゴクリ
……。
「桃《もも》太《た》郎《ろう》印《じるし》のキビダンゴ」はよくきくなあ。
もっといろんな種類《しゅるい》を集《あつ》めよう。
のびちゃん！
いいのいいの、そうじならぼくするから。
あやしいわね……。何《なに》かかくしてるでしょ！
ないっ、なんにもない！

A 本当《ほんとう》　すでに絶滅《ぜつめつ》したスティーブンイワサザイ。外敵《がいてき》のいない島《しま》にすんでいたため、飛《と》ぶ必要《ひつよう》がなかったのかもしれない。

へやの中《なか》見《み》せなさい。
いや……。
見《み》せなさい！
エへへ……。
ヒヤヒヤした。
こんなの見《み》つかったらどなられちゃう。
つぎ、リョコウバトをだそう。
成功《せいこう》！
ヒョイ
つぎはドードー鳥《どり》。

つぎ、オジロヌー。
えいっ。
どうも、すばしっこくて！
なかなかつかまらない。
えいっ、
えいっ、
えいっ。
ああ、じれったい！
行《い》ってくる。
しかしこれはすばらしいことだよ。
きみたちほんとはもう地球上《ちきゅうじょう》にいないはずの動物《どうぶつ》なんだよな。

**恐竜《きょうりゅう》と失《うしな》われた動物《どうぶつ》たちQ&A《キューアンドエー》**

**Q** すでに絶滅《ぜつめつ》したといわれていたが、2010年《ねん》に生存《せいぞん》が確認《かくにん》された日本《にほん》の淡水魚《たんすいぎょ》は？

せめて友《とも》だちぐらいには見《み》せたいな。
このハトだけでも見《み》せたいよ。
だまって見《み》せればふつうのハトと見《み》わけがつかないと思《おも》うよ。
見《み》せよう。
へえ、ハトをかったの。
どことなくへんてこな…。
いかにものび太《た》にピッタリだよ。
かわいそうなもんだ。このハトの値《ね》うちがわからないなんて。
しばらく遊《あそ》んできていいよ。
き、きみ！

A クニマス　環境省《かんきょうしょう》のレッドリストでも「絶滅《ぜつめつ》」とされていたが、約《やく》70年《ねん》ぶりに山梨県《やまなしけん》の西湖《さいこ》で見《み》つかった。

**Q** 野生生物《やせいせいぶつ》を絶滅《ぜつめつ》から守《まも》るために、国際取引《こくさいとりひき》を制限《せいげん》した国際条約《こくさいじょうやく》は何《なに》？

あ、あ、あのハト、
ど、どこで見《み》つけたの。
どこってそれは…、ちょっと…。
わしは動物学者《どうぶつがくしゃ》です。
わしの目《め》にあやまりがなければ……。
あれはずっと昔《むかし》、絶滅《ぜつめつ》したはずのリョコウバトだ……。
きみ！世紀《せいき》の大発見《だいはっけん》なんだぞ！
おねがいだ、どこにいたのか教《おし》えてくれ！
あ、あのね……、学校《がっこう》のうら山《やま》。
どうも……、
こまったことになったなあ。
帰《かえ》ろうぜ。
ピィッ
ドラえも～ん、まずいことになったよ。

**A** ワシントン条約《じょうやく》　貴重《きちょう》な野生生物《やせいせいぶつ》の輸入《ゆにゅう》や輸出《ゆしゅつ》を規制《きせい》し、流通《りゅうつう》をおさえることで保護《ほご》につなげている。はく製《せい》や毛皮《けがわ》も対象《たいしょう》。

**恐竜《きょうりゅう》と失《うしな》われた動物《どうぶつ》たちQ&A《キューアンドエー》**

**Q** 絶滅《ぜつめつ》の恐《おそ》れが高《たか》いとされるほ乳類《にゅうるい》の数《かず》は?

①約《やく》100種《しゅ》　②約《やく》500種《しゅ》　③1000種《しゅ》以上《いじょう》

ブルル……。
ギャース。
しずかにしてくれよ、きみたち。
キビダンゴのききめがうすれてきたのかな。
うるさいわよ!
ドドド
ガァ
何《なに》するのよっ。
次《つぎ》のニュース。
絶滅《ぜつめつ》したはずの珍《めずら》しい鳥《とり》が東京《とうきょう》で発見《はっけん》されました。
生物学上《せいぶつがくじょう》の貴重《きちょう》な発見《はっけん》……。
大学《だいがく》の調査隊《ちょうさたい》が現場《げんば》近《ちか》くのそうさに……。
なお、発見《はっけん》した少年《しょうねん》をさがしております。

A ③1000種《しゅ》以上《いじょう》 2010年版《ねんばん》レッドリスト(IUCN)で1131種《しゅ》が掲載《けいさい》されている。ほ乳類《にゅうるい》全体《ぜんたい》のおよそ2割《わり》にあたる。

なんのさわぎです！
やっぱりあやしいわ。
ママだ！
動物《どうぶつ》のかくれ場所《ばしょ》をさがしてくるからそれまでがんばってて。
あけないとおこるわよ！
ドン
ドン
あけたっておこるくせに。
もうささえきれない！
用意《ようい》できた、はやく！

恐竜《きょうりゅう》と失《うしな》われた動物《どうぶつ》たちQ&A《キューアンドエー》

Q 生物《せいぶつ》多様性《たようせい》条約《じょうやく》が決《き》まったのはいつ？

①1992年《ねん》 ②2000年《ねん》 ③2010年《ねん》

へえ、こんな無人島《むじんとう》がよく見《み》つかったね。
つくったんだよ、「マグマ探知機《たんちき》」と「強力岩《きょうりょくいわ》トカシ」で。
船《ふね》や飛行機《ひこうき》の航路《こうろ》とはうんとはなれてるから、だれにも見《み》つからないだろう。
さ、ここで自由《じゆう》にのびのびとくらしな。

A ①1992年《ねん》 野生生物《やせいせいぶつ》の多様《たよう》さを環境《かんきょう》とともに保全《ほぜん》しようとする国際条約《こくさいじょうやく》。地球《ちきゅう》サミットが開《ひら》かれた92年《ねん》に採択《さいたく》された。

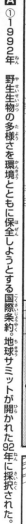

これから植物《しょくぶつ》を
うえて速成《そくせい》ライトで
ジャングルや草原《そうげん》
をつくるんだ。
動物《どくぶつ》も
一種類《しゅるい》につき
百匹《ひゃっぴき》くらいずつ
つれてこよう。
あとは
ひとりでに
ふえていく
だろうね。
何《なん》十年《ねん》か
何百年《なんびゃくねん》か
あと、
この島《しま》は
動物《どうぶつ》たちの
楽園《らくえん》に
なって
いる
こと
だろう。
動物《どうぶつ》たちの
ふんや
おしっこだ。
はでに
やってくれ
ちゃって…。

ほかにも人間による
捕《ほ》かくや、自然《しぜん》破壊《はかい》の
ため絶滅《ぜつめつ》した動物《どうぶつ》や、
リョコウバト
ドードー
ニホンオオカミ

# 絶滅《ぜつめつ》したモアやドードーって、どんな動物《どうぶつ》？

## 人間《にんげん》の活動《かつどう》によってたくさんの生《い》き物《もの》が滅《ほろ》びていった

38億年《おくねん》におよぶ地球生命《ちきゅうせいめい》の長《なが》い歴史《れきし》のなかで、生《い》き物《もの》の絶滅《ぜつめつ》は繰《く》り返《かえ》し起《お》きた。環境変動《かんきょうへんどう》による絶滅《ぜつめつ》をはじめ、生存競争《せいぞんきょうそう》に敗《やぶ》れて滅《ほろ》びたものなど、理由《りゆう》はさまざまだが、人類《じんるい》が登場《とうじょう》して以降《いこう》は、人間《にんげん》の活動《かつどう》が直接《ちょくせつ》の引《ひ》き金《がね》となって絶滅《ぜつめつ》した生《い》き物《もの》も数多《かずおお》い。なかには、どんな生《い》き物《もの》だったのかさえよくわからないまま消《き》えたものもいる。そして、人間活動《にんげんかつどう》の影響《えいきょう》による絶滅《ぜつめつ》は、時代《じだい》が進《すす》むにつれて増加《ぞうか》し続《つづ》けている。どんな動物《どうぶつ》が、人間《にんげん》によって滅《ほろ》ぼされたのか、そのいくつかを紹介《しょうかい》しよう。

まんがにも登場《とうじょう》するドードーは、アフリカ大陸東方沖《たいりくとうほうおき》のマダガスカル島《とう》からさらに東《ひがし》にあるマスカリン諸島《しょとう》にいたシチメンチョウほどの大《おお》きさの鳥《とり》だ。空《そら》を飛《と》ぶことも速《はや》く走《はし》ることもできなかったが、木《き》の実《み》などを食《た》べながら、人間《にんげん》も外敵《がいてき》もいない島《しま》で平和《へいわ》に暮《く》らしていた。しかし、大航海時代《だいこうかいじだい》の16世紀初頭《せいきしょとう》にヨーロッパ人《じん》の移住《いじゅう》が始《はじ》まると、人々《ひとびと》はめずらしいこの鳥《とり》を見世物《みせもの》にするためや食料《しょくりょう》にするためにとらえ、その数《かず》は減《へ》っていった。さらに移住者《いじゅうしゃ》とともに島々《しまじま》に入《い》り込《こ》んだイヌやブタ、そしてネズミなどが卵《たまご》やヒナを食《た》べてしまい、ドードーは発見《はっけん》から250年《ねん》ほどの間《あいだ》に絶滅《ぜつめつ》してしまった。

▼ずんぐりとして逃《に》げ足《あし》も遅《おそ》かったドードーは、食料《しょくりょう》として乱獲《らんかく》され、絶滅《ぜつめつ》してしまった。

【ドードー】

イラスト／桝村太一

## 食料《しょくりょう》やハンティングの対象《たいしょう》として消《き》えていった生《い》き物《もの》たち

ジャイアントモアは、鳥類《ちょうるい》のなかで史上最大級《しじょうさいだいきゅう》の大《おお》きさの巨鳥《きょちょう》で、頭頂《とうちょう》までの高《たか》さは３～４ｍ。空《そら》を飛《と》ぶことはできなかったが、木《き》の実《み》や草《くさ》などの植物《しょくぶつ》を食《た》べ、大型《おおがた》の肉食獣《にくしょくじゅう》がいなかったニュージーランドに広《ひろ》く生息《せいそく》していたとみられる。ジャイアントモアを絶滅《ぜつめつ》へと追《お》い込《こ》んだのは、9～10世紀《せいき》ころにポリネシアからニュージーランドに移《うつ》り住《す》んだ先住民《せんじゅうみん》のマオリ族《ぞく》だったようだ。人間《にんげん》をおそれなかったジャイアントモアは、彼《かれ》らの狩《か》りの対象《たいしょう》となり、肉《にく》は食料《しょくりょう》に、羽《はね》や骨《ほね》は装飾品《そうしょくひん》として用《もち》いられた。農耕《のうこう》が始《はじ》まってからも、森林《しんりん》の伐採《ばっさい》などで生活環境《せいかつかんきょう》は悪化《あっか》し、18世紀末《せいきまつ》ごろに絶滅《ぜつめつ》したとされる。

大航海時代《だいこうかいじだい》の後《あと》、ヨーロッパから移《うつ》り住《す》んだ人々《ひとびと》の開《かい》拓《たく》とともに絶滅《ぜつめつ》した動物《どうぶつ》としてよく知《し》られるのが、南《みなみ》アフリカのサバンナにいたブルーバックとクアッガだ。ブルーバックは、青《あお》みのある灰色《はいいろ》をした美《うつく》しい毛皮《けがわ》を持《も》つウシ科《か》の動物《どうぶつ》。肉《にく》が食料《しょくりょう》となっただけでなく、その美《うつく》しい毛皮《けがわ》がハンターたちに狙《ねら》われ、１８００年《ねん》ごろに絶《ぜつ》滅《めつ》。アフリカで銃《じゅう》で撃《う》たれて絶滅《ぜつめつ》した最初《さいしょ》の動物《どうぶつ》となった。クアッガは、シマウマの仲間《なかま》だが、シマ模様《もよう》は頭《あたま》から胴体《どうたい》の前半分《まえはんぶん》までで、後《うし》ろ半分《はんぶん》は茶色《ちゃいろ》だった。やはり開《かい》拓民《たくみん》たちに大量《たいりょう》に銃《じゅう》で撃《う》たれ、肉《にく》は食料《しょくりょう》に、皮《かわ》は靴《くつ》や袋《ふくろ》物《もの》などの材料《ざいりょう》に使《つか》われた。野生《やせい》のクアッガが絶滅《ぜつめつ》したのは１８６１年《ねん》、オランダの動物園《どうぶつえん》に最後《さいご》の１頭《とう》が残《のこ》ったが、１８８３年《ねん》に死《し》んでしまった。

同《おな》じころ、ヨーロッパや北米《ほくべい》でも、乱獲《らんかく》によって絶滅《ぜつめつ》した動物《どうぶつ》がいた。ジュゴンの仲間《なかま》ステラーカイギュウも

▼ブルーバック（上《うえ》）やクアッガ（下《した》）は、ハンティングのかっこうの獲物《えもの》として銃《じゅう》で撃《う》たれ、絶滅《ぜつめつ》への道《みち》をたどった。

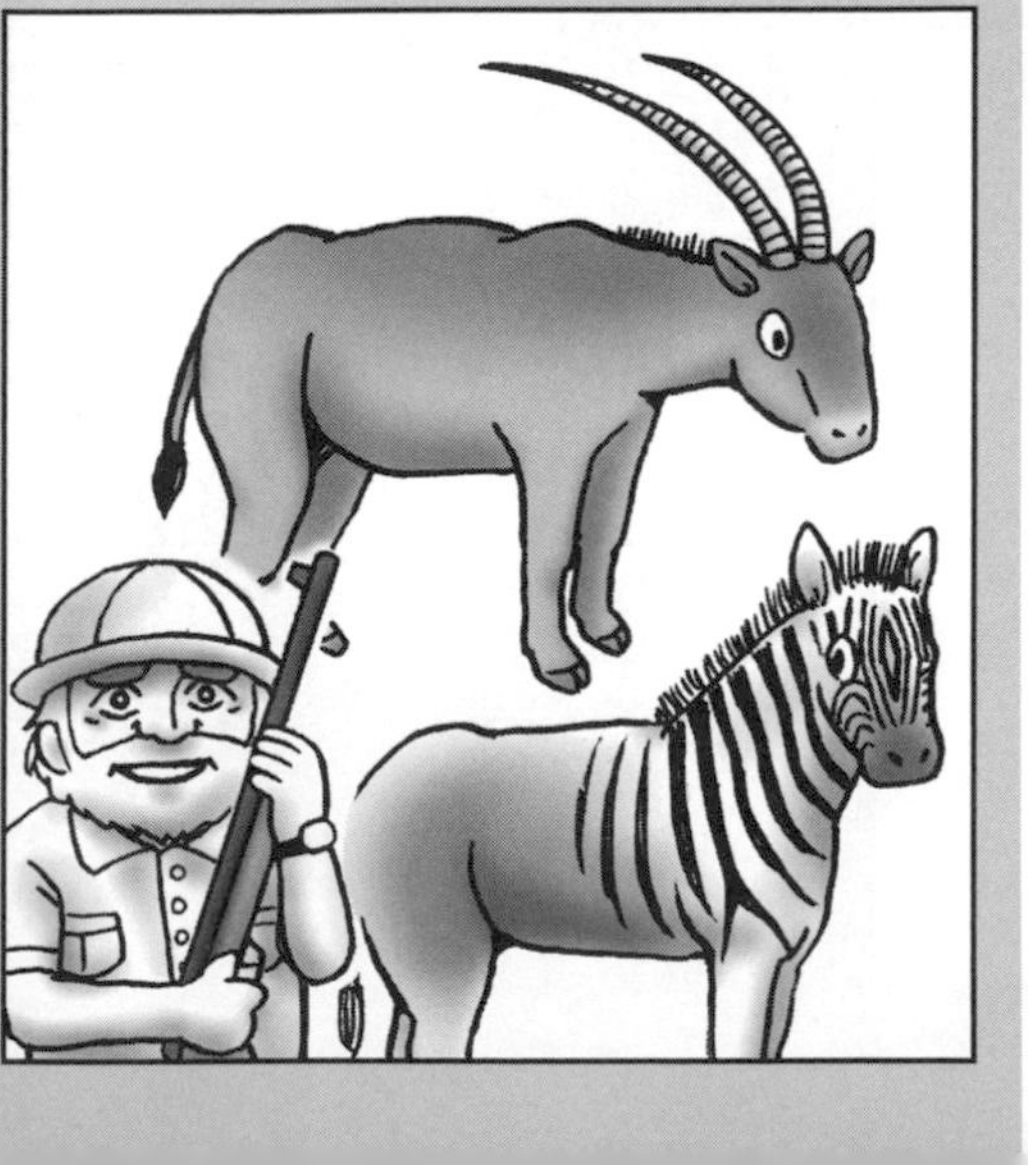

そのひとつ。ベーリング海周辺《かいしゅうへん》にわずかに生息《せいそく》していたステラーカイギュウは、体長《たいちょう》７～８ｍ、体重《たいじゅう》４トンを超《こ》える巨大《きょだい》な海獣《かいじゅう》。１７４１年《ねん》にその存在《そんざい》が知《し》られるとハンターが押《お》し寄《よ》せ、発見《はっけん》からわずか30年《ねん》足《た》らずのうちに絶滅《ぜつめつ》してしまった。また、北大西洋《きたたいせいよう》に広《ひろ》く分布《ぶんぷ》していたオオウミガラスも、肉《にく》や卵《たまご》がおいしいと有名《ゆうめい》になり、ハンターや商人《しょうにん》らに乱獲《らんかく》されて、１８４４年《ねん》に絶滅《ぜつめつ》した。

▲ステラーカイギュウ（右《みぎ》）やオオウミガラス（左《ひだり》）は、その肉《にく》が食料《しょくりょう》として珍重《ちんちょう》され、あっという間《ま》に乱獲《らんかく》された。

特別《とくべつ》コラム

## リョコウバトはなぜ消《き》えた？

20世紀《せいき》に入《はい》ってから絶滅《ぜつめつ》した生《い》き物《もの》のなかでよく知《し》られるのは、北米大陸《ほくべいたいりく》にいた3種類《しゅるい》の鳥類《ちょうるい》だ。ライチョウの仲間《なかま》ヒースヘン、北米大陸《ほくべいたいりく》で唯一《ゆいいつ》のインコだったカロライナインコ、そしてリョコウバト。いずれも米国《べいこく》ではごくありふれた鳥類《ちょうるい》だった。なかでもリョコウバトは、その生息数《せいそくすう》がおよそ50億羽《おくわ》と推定《すいてい》されるほど数《かず》が多《おお》かった。その名《な》のとおり渡《わた》り鳥《どり》で、渡《わた》りのシーズンには、空《そら》をおおいつくすほどの数《かず》だったそうだ。その肉《にく》がおいしかったことから、“ハト撃《う》ち”は人気《にんき》となり、乱獲《らんかく》によって1914年《ねん》に絶滅《ぜつめつ》した。

▲肉《にく》もおいしく、大《おお》きな群《む》れで移動《いどう》するリョコウバトは、ハンターたちに狙《ねら》われた。

# 絶滅《ぜつめつ》が心配《しんぱい》されている生《い》き物《もの》はどれくらいいる？

## 世界《せかい》で絶滅《ぜつめつ》が心配《しんぱい》されている生《い》き物《もの》は約《やく》1万《まん》8000種《しゅ》

今《いま》から2000年前《ねんまえ》、地球上《ちきゅうじょう》に暮《く》らす人類《じんるい》はわずか2～3億人《おくにん》ほどだったと考《かんが》えられている。16世紀《せいき》でも5億《おく》人《にん》ほどだった人口《じんこう》が急速《きゅうそく》に増《ふ》えたのは、18世紀《せいき》の産業革《さんぎょうかく》命以降《めいいこう》だ。20世紀《せいき》には〝爆発的《ばくはつてき》〟と表現《ひょうげん》されるほど急激《きゅうげき》に増加《ぞうか》し、現在《げんざい》の世界人口《せかいじんこう》は69億人《おくにん》（国連推計《こくれんすいけい》、2010年《ねん》10月《がつ》）を超《こ》えている。こうした人類《じんるい》の繁栄《はんえい》は、一方《いっぽう》で自然《しぜん》環境《かんきょう》に大《おお》きな影響《えいきょう》を与《あた》え、乱獲《らんかく》だけでなく、開発《かいはつ》による環境《かんきょう》の悪化《あっか》によって絶滅《ぜつめつ》に追《お》い込《こ》まれる生《い》き物《もの》もたくさんいる。さらに、人《ひと》が持《も》ち込《こ》んだ外来生物《がいらいせいぶつ》が、もともとあった生態系《せいたいけい》のバランスをくずしてしまったり、最近《さいきん》では人間活動《にんげんかつどう》が引《ひ》き起《お》こした地球温暖化《ちきゅうおんだんか》も、多《おお》くの生《い》き物《もの》たちを絶滅《ぜつめつ》へと向《む》かわせる原因《げんいん》になりつつある。

では、現在《げんざい》、世界《せかい》で絶滅《ぜつめつ》の危機《きき》にある野生《やせい》の生《い》き物《もの》はどれくらいいるのだろうか。世界《せかい》の国々《くにぐに》や政府機関《せいふきかん》、NGO（非政府機関《ひせいふきかん》）が加盟《かめい》する世界最大《せかいさいだい》の自然保護機関《しぜんほごきかん》である国際自然保護連合《こくさいしぜんほごれんごう》（IUCN）は、毎年《まいとし》「絶滅《ぜつめつ》が心《しん》配《ぱい》される種《しゅ》のレッドリスト」を発表《はっぴょう》している。これによれば、世界《せかい》で絶滅《ぜつめつ》の危機《きき》にある野生《やせい》の生《い》き物《もの》の種数《しゅすう》は1万《まん》8351種類《しゅるい》におよぶ（2010年発表《ねんはっぴょう》）。そのうち動《どう》物《ぶつ》（無《む》せきつい動物《どうぶつ》を含《ふく》む）は9618種《しゅ》、植物《しょくぶつ》は872

▼インドネシアの熱帯雨林《ねったいうりん》に暮《く》らすオランウータンは、森《しん》林《りん》の開発《かいはつ》によって生活《せいかつ》の場《ば》を失《うしな》いつつある。

協力／東京都多摩動物公園

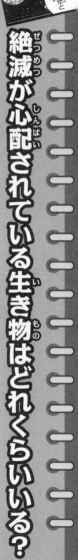

4種《しゅ》という（その他《ほか》9種《しゅ》）。ただし、このレッドリストは、生息数《せいそくすう》や生息域《せいそくいき》が比較的《ひかくてき》はっきりしている5万種《まんしゅ》ほどについて調査《ちょうさ》を行《おこな》い、その絶滅《ぜつめつ》の危険度《きけんど》をランク付《つ》けしたものにすぎない。現在《げんざい》、存在《そんざい》が確認《かくにん》されている（名前《なまえ》がついている）野生生物《やせいせいぶつ》の種数《しゅすう》は、およそ１６４万種《まんしゅ》いるが、このすべてを調《しら》べているわけではない。そのことを考《かんが》えると、リストに載《の》っている絶滅《ぜつめつ》が心配《しんぱい》される野生生物《やせいせいぶつ》の数《かず》がいかに多《おお》いかがわかる（評価対象種《ひょうかたいしょうしゅ》のうち、せきつい動物《どうぶつ》は25％以上《いじょう》、植物《しょくぶつ》は70％以上《いじょう》）。また、いまだ調査《ちょうさ》・研究《けんきゅう》が進《すす》んでいない生《い》き物《もの》まで含《ふく》めると、レッドリストで発表《はっぴょう》されている数《かず》をはるかに超《こ》える種数《しゅすう》の生《い》き物《もの》が、絶滅《ぜつめつ》の危機《きき》にあると考《かんが》えられている。

日本《にほん》の生《い》き物《もの》については、環境省《かんきょうしょう》が独自《どくじ》の基準《きじゅん》でレッドリストを発表《はっぴょう》しており、絶滅《ぜつめつ》のおそれのある動《どう》・植物《しょくぶつ》として３０００種《しゅ》あまりが掲載《けいさい》されている（２００７年《ねん》現在《げんざい》）。最近《さいきん》では、各都道府県《かくとどうふけん》でレッドリストを作成《さくせい》し、積極的《せっきょくてき》な保護活動《ほごかつどう》に役立《やくだ》てようとする動《うご》きも出《で》ている。

▲乱獲《らんかく》によって数《かず》を減《へ》らしたマナティは、沿岸部《えんがんぶ》の開発《かいはつ》や水質汚染《すいしつおせん》などによって、さらにその数《かず》が減《へ》っている。

撮影／滝田よしひろ

特別《とくべつ》コラム

## 地球温暖化《ちきゅうおんだんか》の進行《しんこう》とホッキョクグマ

生《い》き物《もの》の絶滅《ぜつめつ》の新《あら》たな原因《げんいん》として心配《しんぱい》されているのが地球温暖化《ちきゅうおんだんか》。なかでも大《おお》きな影響《えいきょう》を受《う》けるのが、ホッキョクグマをはじめとする北極圏《ほっきょくけん》の生《い》き物《もの》たちだ。温暖化《おんだんか》の影響《えいきょう》で、20世紀《せいき》の100年間《ねんかん》に北極圏《ほっきょくけん》の平均気温《へいきんきおん》は2℃以上《いじょう》も上昇《じょうしょう》し、夏《なつ》の北極《ほっきょく》の海氷《かいひょう》の厚《あつ》さは40％ほど減《へ》っているといわれる。

ホッキョクグマは氷上《ひょうじょう》でアザラシをとらえ、その肉《にく》を食《た》べるため、海氷《かいひょう》が減《へ》ると狩《か》りができなくなる。すでにその影響《えいきょう》は出《で》ており、子《こ》どもを育《そだ》てられなくなったり、陸上《りくじょう》のごみをあさるホッキョクグマもいるという。

## 今《いま》も密猟《みつりょう》で数《かず》を減《へ》らす貴重《きちょう》な動物《どうぶつ》たちがいる

現代《げんだい》は、地球生命《ちきゅうせいめい》の歴史《れきし》における６度目《どめ》の大量絶滅時《たいりょうぜつめつじ》代《だい》であるといわれる。多《おお》くの生《い》き物《もの》を絶滅《ぜつめつ》の危機《きき》に追《お》い込《こ》んでいるのは、気候《きこう》の変化《へんか》でも火山活動《かざんかつどう》でも、隕石衝《いんせきしょう》突《とつ》でもなく、私《わたし》たち人類《じんるい》の活動《かつどう》そのものだ。まだその存《そん》在《ざい》を確認《かくにん》できていない種《しゅ》を含《ふく》めて、今《いま》、１年間《ねんかん》におよそ４万種《まんしゅ》の生《い》き物《もの》が絶滅《ぜつめつ》しているという推定《すいてい》もある。

国立公園《こくりつこうえん》や保護区《ほごく》を作《つく》るなど、危機《きき》にある生《い》き物《もの》を保《ほ》護《ご》する取《と》り組《く》みは、世界中《せかいじゅう》で行《おこな》われている。しかし、すべてがうまく進《すす》んでいるとはいえない。たとえば、ＩＵＣＮ（国際自然保護連合《こくさいしぜんほごれんごう》）が、絶滅《ぜつめつ》の危険度《きけんど》が最《もっと》も高《たか》い絶滅《ぜつめつ》寸前《すんぜん》の種《しゅ》に分類《ぶんるい》するクロサイは、１９７０年《ねん》に約《やく》６万《まん》５０００頭《とう》が確認《かくにん》されたが、１９９５年《ねん》には約《やく》２４００頭《とう》にまで数《かず》が減《へ》ってしまった。角《つの》が狙《ねら》われて密猟《みつりょう》されたことが原因《げんいん》だ。その後《あと》、さまざまな密猟防止策《みつりょうぼうしさく》がとられ、４２００頭《とう》まで回復《かいふく》したが、近年再《きんねんふたた》び密猟《みつりょう》が急増《きゅうぞう》している。ＷＷＦ（世界自然保護基金《せかいしぜんほごききん》）によれば、南《みなみ》アフリカだけでも２００８年《ねん》、２００９年《ねん》に１００頭以上《とういじょう》、２０１０年《ねん》は３００頭以上《とういじょう》のサイが密猟《みつりょう》の犠牲《ぎせい》になったという。密猟《みつりょう》はヘリコプターや消音器《しょうおんき》を装備《そうび》した銃器《じゅうき》などが使《つか》われ、組織的《そしきてき》に行《おこな》われているそうだ。

▼一度《いちど》は個体数《こたいすう》を増《ふ》やしたものの、いまだに続《つづ》く密猟《みつりょう》によって絶滅《ぜつめつ》が心配《しんぱい》されているクロサイ。

協力／広島市安佐動物公園

## 生物多様性《せいぶつたようせい》ホットスポットのひとつ 日本《にほん》の豊《ゆた》かな自然《しぜん》を守《まも》るには

生《い》き物《もの》の絶滅《ぜつめつ》は、ひとつの種《しゅ》が地上《ちじょう》から姿《すがた》を消《け》すことだけに留《とど》まらない。野生《やせい》の生《い》き物《もの》たちは、ほかのさまざまな生《い》き物《もの》と深《ふか》く関係《かんけい》し合《あ》いながら暮《く》らし、複雑《ふくざつ》でバランスのとれた生態系《せいたいけい》を形《かたち》づくっているからだ。ひとつの絶滅《ぜつめつ》が〝絶滅《ぜつめつ》の連鎖《れんさ》〟を引《ひ》き起《お》こすこともあるのだ。

こうしたことから重要視《じゅうようし》されているのが「生物多様《せいぶつたよう》性《せい》」だ。この言葉《ことば》には、それぞれの生態系《せいたいけい》のなかにさまざまな種類《しゅるい》の生《い》き物《もの》がいることの大切《たいせつ》さとともに、生《い》き物《もの》が暮《く》らす環境《かんきょう》の多様《たよう》さを大切《たいせつ》にすることも含《ふく》まれている。森林伐採《しんりんばっさい》や湿地《しっち》・干潟《ひがた》の開発《かいはつ》などによって生活《せいかつ》の場《ば》が消《き》えていくことも、生《い》き物《もの》たちを絶滅《ぜつめつ》の危機《きき》に向《む》かわせている大《おお》きな原因《げんいん》のひとつだ。生物多様性《せいぶつたようせい》をいかにして取《と》りもどし、守《まも》っていくかが、追《お》いつめられた野生生《やせいせい》物《ぶつ》を救《すく》うための大《おお》きなカギになっている。

地球規模《ちきゅうきぼ》で生物多様性《せいぶつたようせい》が失《うしな》われようとしているなか、近年《きんねん》、注目《ちゅうもく》されているのが「生物多様性《せいぶつたようせい》ホットスポット」だ。これは、地球上《ちきゅうじょう》において生物多様性《せいぶつたようせい》が高《たか》いにもかかわらず絶滅《ぜつめつ》の危機《きき》も高《たか》まっている地域《ちいき》を示《しめ》したもの。西《にし》アフリカのギニア森林《しんりん》、東部《とうぶ》ヒマラヤ、カリブ海諸島《かいしょとう》など、34か所《しょ》があげられ、そのなかのひとつに日本《にほん》も入《はい》っている。開発《かいはつ》が進《すす》んだ先進国《せんしんこく》でありながら、豊《ゆた》かな生物《せいぶつ》多様性《たようせい》を保《たも》っていることで世界《せかい》から注目《ちゅうもく》されるのはうれしいが、一方《いっぽう》で現在《げんざい》の生物多様性《せいぶつたようせい》の危機《きき》をいかにして解《かい》決《けつ》していくかという課題《かだい》も突《つ》きつけられたわけだ。

危機《きき》を迎《むか》えつつある自然環境《しぜんかんきょう》を守《まも》るために、私《わたし》たちは何《なに》をすればよいのだろうか。まずは足元《あしもと》にある身近《みぢか》な自《し》然《ぜん》に目《め》を向《む》け、その大切《たいせつ》さを実感《じっかん》することから始《はじ》めてみるのも、ひとつの方法《ほうほう》かもしれない。

特別《とくべつ》コラム

### “絶滅《ぜつめつ》の連鎖《れんさ》”とは？

ひとつの生《い》き物《もの》が絶滅《ぜつめつ》することによって生態系《せいたいけい》そのものがこわれてしまった例《れい》としてよく知《し》られるのが、北米大陸《ほくべいたいりく》の太平洋沿岸《たいへいようえんがん》で起《お》きたアザラシの絶滅《ぜつめつ》だ。

乱獲《らんかく》などによってその海域《かいいき》からアザラシが消《き》えてしまったことによって、アザラシのエサとなっていたウニなどの海藻《かいそう》を食《た》べる生《い》き物《もの》がどんどん増《ふ》えてしまい、それまで豊《ゆた》かだった海藻《かいそう》がまたたく間《ま》に減《へ》ってしまった。

その結果《けっか》、海藻《かいそう》の森《もり》を産卵場所《さんらんばしょ》や身《み》を隠《かく》す場所《ばしょ》として利用《りよう》していたたくさんの魚《さかな》やエビ、貝類《かいるい》までもが、すっかり消《き》えてしまったのだ。

あとがき

# 未来《みらい》の恐竜学者《きょうりゅうがくしゃ》へのメッセージ

真鍋《まなべ》 真《まこと》

これまで、図鑑《ずかん》に描《えが》かれている恐竜《きょうりゅう》の色《いろ》はすべて想像《そうぞう》で、恐竜《きょうりゅう》の色《いろ》なんて化石《かせき》からはわからないというのが学界《がっかい》の常識《じょうしき》でした。２０１０年《ねん》、「羽毛《うもう》恐竜《きょうりゅう》」の羽毛《うもう》の表面《ひょうめん》に残《のこ》っていたメラノソームという組織《そしき》の大《おお》きさや形《かたち》、密度《みつど》などを調《しら》べると、恐竜《きょうりゅう》の体色《たいしょく》が推定《すいてい》できるという研究《けんきゅう》が発表《はっぴょう》され、アンキオルニスとシノサウロプテリクスの2種類《しゅるい》の色《いろ》や模様《もよう》がわかるようになりました。今後《こんご》、もっと多《おお》くの種類《しゅるい》の恐竜《きょうりゅう》の色《いろ》がわかるようになるでしょう。

私《わたし》はアンキオルニスの頭《あたま》や顔《かお》に赤色《あかいろ》のワンポイントの模様《もよう》があって、黒《くろ》い翼《つばさ》に白《しろ》いしま模様《もよう》があるのを見《み》て、遠《とお》くから見《み》ても仲間《なかま》かどうかをすぐに識別《しきべつ》できるだろうなあと思《おも》いました。もしかしたらオスとメス、おとなと子《こ》どもで違《ちが》っていたかもしれません。私《わたし》たちが手《て》を振《ふ》ったりするように、翼《つばさ》を動《うご》かしたりして、コミュニケーションをしていたかもしれません。

今《いま》までは恒温動物《こうおんどうぶつ》が体温《たいおん》が下《さ》がらないように羽毛《うもう》を持《も》つようになって、それが有利《ゆうり》だったため「羽毛恐竜《うもうきょうりゅう》」が一気《いっき》にシェアをのばしたと考《かんが》えられてきました。羽毛《うもう》は、さらに目《め》で見《み》るコミュニケーションを著《いちじる》しく向上《こうじょう》さ

せることによって、恐竜《きょうりゅう》の社会性《しゃかいせい》を大《おお》きく変《か》えた可能性《かのうせい》も出《で》てきました。これからの恐竜学《きょうりゅうがく》は、恐竜《きょうりゅう》を生《い》き物《もの》としてみる、生物学《せいぶつがく》としての研究《けんきゅう》がこれまで以上《いじょう》に重要《じゅうよう》になってくると思《おも》います。

将来《しょうらい》、恐竜学者《きょうりゅうがくしゃ》になりたいという小学生《しょうがくせい》から、どんな勉強《べんきょう》をしておいたらよいですかと聞《き》かれることがあります。この本《ほん》は恐竜《きょうりゅう》のことだけではなく、恐竜時代《きょうりゅうじだい》の首長竜《くびながりゅう》や翼竜《よくりゅう》のことはもちろん、現在《げんざい》、絶滅《ぜつめつ》に瀕《ひん》している生《い》き物《もの》たちのことも取《と》り上《あ》げています。恐竜《きょうりゅう》の重要性《じゅうようせい》は恐竜《きょうりゅう》だけを見《み》ていてもわかりません。恐竜《きょうりゅう》のことしか知《し》らない、今《いま》の自然《しぜん》のことには興味《きょうみ》のない人《ひと》にならないようにしてください。興味《きょうみ》の対象《たいしょう》は自然《しぜん》だけでなく、人《ひと》にも向《む》けられてほしいと思《おも》います。今《いま》、小学生《しょうがくせい》から英語《えいご》を勉強《べんきょう》する機会《きかい》がありますが、英語《えいご》が得意《とくい》で大好《だいす》きであること、少《すく》なくとも嫌《きら》いにならないことが大切《たいせつ》です。

恐竜《きょうりゅう》には国境《こっきょう》がなかったように、恐竜《きょうりゅう》の研究《けんきゅう》やサイエンスという自由《じゆう》な発想《はっそう》にも国境《こっきょう》はありません。日本人《にっぽんじん》であっても、日本《にほん》の恐竜《きょうりゅう》だけをどんなにくわしく研究《けんきゅう》していても、日本《にほん》の恐竜《きょうりゅう》のことを本当《ほんとう》に理解《りかい》することはできません。当時《とうじ》、陸続《りくつづ》きだったアジアのほかの恐竜《きょうりゅう》とくらべて、同《おな》じ時代《じだい》にほかの大陸《たいりく》で繁栄《はんえい》していた恐竜《きょうりゅう》とくらべて、何《なに》か違《ちが》っているところや似《に》ているところがあることに気《き》がついたときに初《はじ》めて、日本《にほん》の恐竜《きょうりゅう》の意味《いみ》がわかってくるのだろうと思《おも》います。だから、みんなも世界中《せかいじゅう》に出《で》かけて行《い》って、世界中《せかいじゅう》の研究者《けんきゅうしゃ》と交流《こうりゅう》して研究《けんきゅう》できる人《ひと》にならなければなりません。

私自身《わたしじしん》、研究《けんきゅう》の何《なに》がおもしろいかと聞《き》かれれば、何《なに》か新《あたら》しいことに気《き》が

ついたり、それまでわからなかったことがわかるようになったときの感激《かんげき》だと答《こた》えます。でも、世界中《せかいじゅう》で、しゃべる言葉《ことば》や年齢《ねんれい》が違《ちが》っても、同《おな》じように恐竜《きょうりゅう》のことが好《す》きな友《とも》だちがたくさんいることが、いちばんうれしいかもしれません。

現在《げんざい》も使《つか》われている学名《がくめい》のなかで最《もっと》も古《ふる》く命名《めいめい》されたのはメガロサウルスで、1824年《ねん》のことでした。最初《さいしょ》はイギリスで始《はじ》まった恐竜研究《きょうりゅうけんきゅう》ですが、その後《ご》、190年近《ねんちか》くの間《あいだ》に、世界中《せかいじゅう》で恐竜《きょうりゅう》の化石《かせき》が発見《はっけん》され、世界《せかい》中《じゅう》の研究者《けんきゅうしゃ》が研究《けんきゅう》をするようになりました。現《げん》在《ざい》、恐竜《きょうりゅう》の学名《がくめい》は多《おお》く見《み》積《つ》もっても約《やく》1000種《しゅ》類《るい》です。現在《げんざい》、鳥類《ちょうるい》だけで9000種《しゅ》、は虫類《ちゅうるい》でも5000種《しゅ》くらいいることを考《かんが》えると、三畳紀《さんじょうき》からジュラ紀《き》、白亜紀《はくあき》と1億《おく》6000万年《まんねん》以上《いじょう》にわたって繁栄《はんえい》した恐竜《きょうりゅう》がたった1000種類《しゅるい》であ

写真／藤岡雅樹

るわけはありません。恐《きょう》竜《りゅう》は少《すく》なく見積《みつ》もっても十数万種《じゅうすうまんしゅ》はいただろうといわれています。世界中《せかいじゅう》の研究者《けんきゅうしゃ》がみんなで取《と》り組《く》んでも、恐竜《きょうりゅう》の全多様性《ぜんたようせい》がわかるようになるのは、いつのことでしょうか。

最近《さいきん》、小学生《しょうがくせい》から「私《わたし》たちがおとなになって、恐竜学者《きょうりゅうがくしゃ》になっても、まだやることは残《のこ》っていますか?」なんて聞《き》かれることがあるのですが、だいじょうぶです。まだまだやらなくてはならないことが山《やま》ほどあります。

恐竜研究《きょうりゅうけんきゅう》は新種《しんしゅ》を見《み》つけて学名《がくめい》をつけることだけで終《お》わりではありません。その恐竜《きょうりゅう》たちがどんな生《い》き物《もの》で、どんな環境《かんきょう》でどのように生《い》きていたか、どのように進化《しんか》していたのかを知《し》るのは、学名《がくめい》をつけることよりももっと大変《たいへん》なことかもしれません。でも、みんなの恐竜《きょうりゅう》が大好《だいす》き、恐竜《きょうりゅう》のことをもっと知《し》りたいという情熱《じょうねつ》がある限《かぎ》り、恐竜《きょうりゅう》の研究《けんきゅう》はどんどんおもしろく、楽《たの》しくなっていくはずです。

▶恐竜界《きょうりゅうかい》の2大《だい》スター、ティラノサウルスとトリケラトプスは国立科学博物館《こくりつかがくはくぶつかん》の「恐竜博《きょうりゅうはく》2011」での展示品《てんじひん》。(2011/7/2～10/2)

ビッグ・コロタン⑯

# ドラえもん科学《かがく》ワールド
# −恐竜《きょうりゅう》と失《うしな》われた動物《どうぶつ》たち−

KU-330-910

## STAFF

●まんが　藤子・F・不二雄
●監修　藤子プロ　真鍋真（国立科学博物館）
●編　小学館　ドラえもんルーム

●構成　滝田よしひろ　山本栄喜（シロッコ）　窪内裕
●デザイン　ビーライズ
●装丁　有泉勝一（タイムマシン）
●イラスト　佐藤諭（描き下ろし）
浅井粂男　伊藤丙雄　大片忠明　小田隆　風美衣　加藤愛一　菊谷詩子
倉本ヒデキ
サイエンス アート　菅谷中　月本佳代美　福田裕　藤井康文　桝村太一
水谷高英　山本匠
●写真・写真提供　国立科学博物館　アクアマリンふくしま　朝倉秀之　いわき市石炭・化石館
小林快次（北海道大学総合博物館）　東京都多摩動物公園　富田京一
広島市安佐動物公園　福井県立恐竜博物館　藤岡雅樹
●監修　尾﨑美香（藤子プロ）
●制作企画　金田玄彦
●制作　遠山礼子
●資材　斉藤陽子
●宣伝　阿部慶輔
●販売　筆谷利佳子
●編集　杉本隆　山本英智香

2011年7月24日　初版第1刷発行
2015年8月25日　第10刷発行

●発行人　伊藤護
●発行所　株式会社　小学館
〒101-8001　東京都千代田区一ツ橋2-3-1
編集●03-3230-9349
販売●03-5281-3555
●印刷所　大日本印刷株式会社
●製本所　株式会社　若林製本工場
Printed in Japan
©藤子プロ・小学館

●造本には十分注意しておりますが、印刷、製本など製造上の不備がございましたら「制作局コールセンター」（フリーダイヤル0120-336-340）にご連絡ください。（電話受付は、土・日・祝休日を除く 9:30 〜 17:30）
●本書の無断での複写（コピー）、上演、放送等の二次利用、翻案等は、著作権法上の例外を除き禁じられています。
●本書の電子データ化などの無断複製は、著作権法上での例外を除き禁じられています。代行業者等の第三者による本書の電子的複製も認められておりません。

ISBN978-4-09-259116-5